Bruegels tid

BRUEGELS TID

Nederländsk konst
1540–1620

Nationalmuseum 21.9.1984–6.1.1985

Utställningskommitté: Görel Cavalli-Björkman, Lars-Olof Larsson, Börje Magnusson
Arkitekt: Arne Rudberger
Museets tekniska personal under ledning av Arne Holm, Bo Jansson och Sture Wertsberg
Konservatorsateljéerna för måleri och papper under ledning av Uno Kullander resp Leif Strinde
Registrator: Lena Löfstrand
Presskommissarie: Märta Holkers
Katalogredaktör: Nils-Göran Hökby
Affisch och katalogomslag: Håkan Lindström
Foto: Erik Cornelius, Alexis Daflos, Hans Thorwid, Sven Nilsson
Bildspel: Agneta Börtz-Laine
I förarbetet till katalogen har medverkat doktorander från konstvetenskapliga institutionen vid Stockholms universitet

Katalogen är tryckt av
Bohusläningens Boktryckeri AB, Uddevalla 1984
Nationalmusei utställningskatalog nr 480
© Nationalmuseum
ISBN 91-7100-262-6

Omslagsbild: Vintern av Lucas van Valckenborch och Georg Flegel, 1595, detalj (kat. nr 146)

Förord

Utställningen "Bruegels tid" ingår i ett större forskningsprojekt rörande nederländsk 1500-talskonst, som omfattar ett internationellt symposium, utställningen och en vetenskaplig katalog.

Forskningen kring stora delar av museets föremålsbestånd har stagnerat och kataloger och andra översikter som finns har hunnit bli inaktuella. Meningen med detta projekt är att inleda en systematisk bearbetning av samlingarna.

Den nederländska konstens historia i Sverige går långt tillbaka i tiden. Redan mot slutet av medeltiden importerades altarskåp från Antwerpen, Gustav Vasa förvärvade nederländskt måleri, och hans söner lät sig porträtteras av nederländska konstnärer. När de svenska trupperna under trettioåriga kriget gick fram över Europa, lade de beslag på ett stort antal betydande konstverk. Den viktigaste erövringen var den kejserliga konstkammaren i Prag (1648), ett resultat av Kejsar Rudolf II:s samlarmödor. Drottning Christina förde emellertid redan sex år senare med sig alla målningar av berömda italienska renässanskonstnärer till sitt residens i Rom, men hon lämnade kvar det nordeuropeiska måleriet som hon var mindre intresserad av. Till detta bestånd hörde också Pieter Bruegels berömda "Dulle Griet" som så sent som 1894 såldes till utlandet. Bruegels namn i titeln på vår utställning kan likväl motiveras med tanke på det mycket intressanta fynd av en målning av Bonde-Breugel som Sten Karling för några år sedan gjorde i Stockholms Universitets samlingar.

Mycket av den ursprungliga Prag-samlingen förstördes, när Tre Kronor eldhärjades 1697 och när Uppsala universitet brann år 1702, varvid 71 porträtt från Prag lär ha blivit lågornas rov. Åtskilliga målningar och skulpturer från Prag återfinns emellertid ännu i dag i Sverige. Det som visas på utställningen är till större delen i Nationalmusei ägo, men kompletteringar har gjorts genom lån från andra museer och privata samlingar i landet. Vad skulpturen beträffar har vi dessutom fått möjlighet låna in ett värdefullt jämförelsematerial från Wien, Lambach och London för att få tillfälle lösa vissa problem rörande autenticitet vad gäller såväl konstnär som gjutare och epok. Teckningarna har till en del tidigare bearbetats av Nils Lindhagen i samband med en utställning som arrangerades år 1953. Sedan dess har emellertid en mycket omfattande accession ägt rum, främst genom den De la Gardieska samlingen från Borrestad, som 1973 tillföll museet.

Symposiet och utställningen har arrangerats för att på en rad punkter skapa större klarhet inför den slutliga publiceringen av den vetenskapliga katalogen som kommer att ske inom något år. Arbetet på denna ligger i mycket kompetenta händer. Docent Görel Cavalli-Björkman har sedan hon 1967, tillsammans med intendent Börje Magnusson, hade huvudansvaret för museets utställning "Rubens i Sverige" alltmer utvecklats till en specialist på det nederländska måleriet. Professor Lars Olof Larsson, som har ansvaret för skulpturerna skrev 1967 sin avhandling om Adrian de Fries och räknas i dag som en av de stora specialisterna på renässansens och barockens bronsskulptur. Intendent Börje Magnusson, som har bearbetningen av teckningarna på sin lott, har ägnat stor del av sin forskarmöda åt att bringa ordning i den De la Gardieska teckningssamlingen med alla dess olösta problem.

Samma personer står för denna utställningskatalog som är av mer översiktlig karaktär. Utifrån forskningens nuvarande ståndpunkt har de till ledning för vår publik sammanställt fakta kring den nederländska 1500-talskonsten, en sällsynt fantasieggande del av Nationalmusei samling.

Ett vetenskapligt projekt av denna omfattning ryms normalt ej inom Nationalmusei budget och vi är därför tacksamma för att Kungl. Vitterhets Historie och Antikvitets Akademien lämnat sitt stöd till projektet. Ett mycket generöst anslag från Marcus Wallenbergs stiftelse för internationellt vetenskapligt samarbete medför också att en fullständig publicering av de inom symposiet framlagda forskningsresultaten redan från början är säkrad. Nationalmuseum är stiftelsen djupt tacksam för detta stöd.

PER BJURSTRÖM

Bakgrund

I slutet av 1400-talet gick de flamländska städerna tillbaka, både som ekonomiska och konstnärliga centra. Gynnad av förändringar i världshandeln framträdde i stället kring 1500 Antwerpen i Brabant som den dominerande metropolen.

I kraft av sin rikedom och sina internationella förbindelser kom staden att dra till sig ett mycket stort antal konstnärer. Lukasgillet, som konstnärerna tillhörde, räknade enligt en uppgift 300 mästare på 1560-talet jämfört med ca 170 bagare och ett 70-tal slaktare vid samma tid. Under perioden 1500–1650 var omkring 1.500 konstnärer inskrivna i Lukasgillet. Dessa konstnärer producerade för marknaden snarare än för bestämda beställare och tvingades till en långt gående specialisering. Några målare sysslade med religiösa bilder, andra med porträtt, landskap, genre etc. Det förekom också att konstnärerna samarbetade. Landskapsmålare kunde t ex göra bakgrunden i en figurscen, eller en figurmålare gjorde figurerna i ett landskap. Den sortens arbetsfördelning förekom långt in på 1600-talet.

Måleriet var den viktigaste konstarten, men också grafiken fick stor betydelse. Särskilda förlag växte fram, som gav ut grafiska blad för olika smakriktningar och behov.

Konstnärer av betydelse fanns förstås också på andra platser än i Antwerpen, även i de norra provinserna, såsom i städerna Leyden, Utrecht och Haarlem. Likaså fanns en betydande konstnärlig aktivitet vid ståthållarnas hov i Bryssel och Mechelen.

Stor betydelse för det kulturella livet hade vältalighetsföreningarna (*rederijkamers*), litterära sällskap med rötter i medeltiden, som samlade intresserade ur många samhällslager. Konstnärerna var ofta medlemmar, och i Antwerpen skedde en sammanslagning mellan en sådan förening och Lukasgillet, konstnärernas eget skrå. Ordföranden i föreningen var Hieronymus Cock, den mest betydande grafikförläggaren i staden.

Föreningarnas verksamhet koncentrerade sig kring uppförandet av moraliserande skådespel. Från att ursprungligen ha haft en renodlat religiös karaktär, utvecklade de sig under 1500-talet till redskap för aktuell debatt. Här fanns "libertinerna", dvs anhängarna av tolerans och frihet från auktoriteter, i Antwerpen män som gravören Coornhert och geografen Ortelius – och deras vän Pieter Bruegel. Man excellerade i allegori och symbolik, inte bara i innehållet utan också i den yttre utformningen. Konstnärerna tog givetvis del i detta. Också i andra sammanhang hade de tillfällen att omsätta sin lärdom i konst, vid furstliga intåg och hovfester eller vid de årliga processioner (*ommegang*), som hölls i städerna.

Inflytandet från Italien

En faktor som bidrog till att ge konsten i Nederländerna ett nytt ansikte under 1500-talet var det kraftigt ökande italienska inflytandet och studiet av antiken. Det blev vanligt att konstnärerna besökte Italien i början av sin bana. En av pionjärerna var Jan van Scorel som under holländaren Hadrianus VI:s korta pontifikat (1522–23) förestod den påvliga antiksamlingen, en post som Rafael beklätt några år tidigare. Inflytandet från Rafaels skola var särskilt stort och långvarigt bland de konstnärer som var verksamma vid ståthållarnas hov. Rafaels tapetkartonger med motiv ur Apostlagärningarna (Victoria & Albert Museum, London), vid sidan av freskerna i Vatikanen hans mest inflytelserika verk, hade sänts till Bryssel för att vävas. På andra platser trängde andra impulser igenom. Påverkan från Michelangelo var en väsentlig faktor i Maarten van Heemskercks konst. Han var en av de mest inflytelserika konstnärerna, och hans bilder spreds i otaliga gravyrer. Det venetianska måleriet fick ett starkt fotfäste i Antwerpen genom Frans Floris och hans många elever, av vilka Maerten de Vos med gravyrkonstens hjälp fick särskilt stor spridning.

Den inhemska traditionen

Samtidigt som detta hände behöll konsten en stark förankring i traditionen. Den s k Antwerpen-manierismen i seklets början är snarast en något förkonstlad, "manierarad", utlöpare av traditionen, och har knappast något med den senare internationella stilen med samma namn att göra. Intresset för 1400-talsmåleriet framgår bl a av att ståthållarna skaffade sig stora samlingar av de gamla mästarnas konst. Så ägde t ex Karl V:s syster Maria av Ungern, ståthållare 1531–55, Jan van Eycks målning av makarna Arnolfini. Jan van Eycks altarmålning i Gent, *Tillbedjan av det heliga lammet*, var särskilt högt skattad; 1550 restaurerades den av Jan van Scorel och Lancelot Blondeel, två företrädare för den italieniserade riktningen, och 1557 beställde Filip II en kopia av den. Den räddades undan bildstormen genom att gömmas i kyrktornet.

Vid mitten av århundradet blev också Hieronymus Bosch föremål för ett ökat intresse. Pieter Bruegel, som nu började sin verksamhet, var den främste av hans efterföljare. En rad målare, både jämnåriga och yngre, arbetade i deras efterföljd. Emellertid vore det ett misstag att tro att detta måleri med sin realism och sina groteska inslag, vore en enklare konst för folk i gemen. Bruegel var som nämnts nära lierad med den intellektuella eliten i Antwerpen och hans verk rymmer mycken lärd symbolik. Bosch's konst hade en hängiven samlare i Filip II.

Upproret och förföljelserna avspeglade sig förstås i konsten och i konstnärernas situation. Men förhållandena genomgick många förändringar, och det är inte alltid möjligt att dra upp några klara frontlinjer. Samma konstnärer kunde producera ortodoxa verk och verk med kritisk eller protestantisk tendens. I Bruegels målning *Barnamorden i Betlehem* från 1560-talet ses hertigen av Albas spanska trupper tränga in i en flamländsk by. Samtidigt åtnjöt Bruegel myndigheternas beskydd och undantogs från skyldigheten att inkvartera trupper.

Åtskilliga protestantiska konstnärer valde att gå i landsflykt. Pieter Aertsen lämnade Antwerpen redan 1556 och återvände till födelsestaden Amsterdam, troligen av religiösa skäl. Många slog sig ned på andra sidan gränsen i Frankfurt och Frankenthal, där det uppstod en lokal konstskola. Här finner vi flera medlemmar av familjen Valckenborch vid slutet av seklet. Andra begav sig till de norra provinserna eller till England. Antonis Mor, som följt med Filip II till Spanien, lämnade landet av fruktan för inkvisitionen, och kunde trots enträgna framställningar inte förmås att återvända. Efter den definitiva brytningen mellan norr och söder på 1580-talet slog

Maerten van Cleve: Det betlehemitiska barnamordet (kat nr 144)

sig många konstnärer ned för gott i Amsterdam.

Men det var inte bara till protestantiska tillflyktsorter som utvandringen av konstnärer från Nederländerna skedde. Under senare delen av 1500-talet finner man dem verksamma på många håll i katolska länder, ofta i framskjutna positioner. Det franska hovet utövade en viss dragningskraft, men ännu fler drogs till Italien, till Venedig, Bologna och Florens. I Rom fanns också en konstnärskoloni av växlande sammansättning. Norr om Alperna märks särskilt hovet i München. På 1570-talet utvecklades Rudolf II:s hov i Prag till ett viktigt konstcentrum, som drog till sig en lång rad nederländare.

Övergången till ett nytt århundrade

Antwerpen led knappast något avbräck genom utflyttningen av konstnärer, tvärtom gjorde nedgången i handeln genom

10

inbördeskriget att den konstnärliga verksamheten fick ökad ekonomisk betydelse. Genom att förvalta och utveckla traditionen kunde staden behålla sin ledande ställning som konstmetropol långt in på 1600-talet, då den upplevde sin sista stora blomstring genom Rubens.

En ny faktor tillkom under 1500-talets sista decennier genom den sofistikerade, internationella hovstil som går under beteckningen "manierism". För de nederländska konstnärerna gav Rom och Prag de viktigaste impulserna. Av särskilt stor betydelse blev Spranger, genom hans påverkan på en rad generationskamrater från de norra provinserna, de s k Haarlem-manieristerna: Karel van Mander, Hendrik Goltzius, Cornelis van Haarlem m fl. I Utrecht skapade Joachim Wtewael och Abraham Bloemaert en besläktad konst.

Nederländerna i Sverige

Även till Sverige nådde den nederländska konsten och konstnärerna. Gustav Vasa köpte målningar, bl a av Jan van Scorel. Som betalning skulle kungen i det fallet sända 200 pund smör, en issläde, en kista med pälsverk och en ring, men bara ringen kom fram. I slutet av Gustav Vasas regering och under hans söner var flera nederländska konstnärer verksamma i landet: Domenicus Verwilt, Lambert Ryckx, Pieter van Gestel, Willem Boy, Johan Baptista van Uther, Arendt Lamprechts m fl. Mycket litet är känt om de flesta av dem, och få säkra verk har bevarats. Willem Boy, en skulptör bördig från Mechelen, utförde det kända reliefporträttet av Gustav Vasa (Statens porträttsamlingar, Gripsholm) och Vasagravarna i Uppsala domkyrka. Målaren Steven van der Meulen, som i egenskap av protestant slagit sig ned i England, besökte Sverige 1561 i samband med äktenskapsförhandlingarna mellan drottning Elisabeth och Erik XIV och målade Eriks porträtt (Gripsholm).

BÖRJE MAGNUSSON

Kalendarium

HISTORIA

1519 Karl V krönes till kejsare; han regerar över Nederländerna, Österrike, Böhmen, Spanien, kungariket Neapel och Sicilien och nyerövrade amerikanska besittningar.

1530 Karl V väljs till "romersk kejsare".

1533 Spanska trupper sänds av Karl V till Nederländerna för att strida mot fransmännen.

1539 En resning i Gent följs av stränga repressalier.

1543 Karl V gör sonen Filip II till regent över Spanien, Syd-Italien och Nederländerna.

1548 "De 17 provinserna" erkänns som en särskild, självständig enhet i det habsburgska väldet; kejsaren representeras av en generalståthållare i Bryssel.

RELIGION

1517 Martin Luther spikar sina 95 teser på slottskyrkans port i Wittenberg – protestantismen har inletts.

1531 Den schweiziske reformatorn Ulrich Zwingli stupar i Kappel i strid mot katolska kantoner.

1534 Johannes (Jean) Calvin övergår till protestantismen och tvingas lämna Frankrike på grund av förföljelser.

1535 Erasmus Rotterdamus erbjuds av påven kardinalvärdigheten, men avböjer.

1541 Calvin gör Genève till ett protestantismens centrum. Lutheranernas ställning stärks genom en religionsstadga antagen av riksdagen i Regensburg.

1543 Den första kalvinistiska predikan i Nederländerna. De nya samfunden kallas reformerta.

1545 Tridentiska mötet öppnas. Kyrkomötet, som tillkom som en förlikning, kom i stället efter 18 års förhandlingar att gå i motreformationens tecken och innebära en definitiv brytning mellan protestanter och katoliker. Boktryckaren Charles von Liervelt halshugges för att ha tryckt Luthers version av NT på flamländska.

1546 Martin Luther dör.

KONST

1515 Joachim Patinir blir mästare i Antwerpen, som blivit ett centrum för världshandeln och därmed en livskraftig konstnärlig miljö.

1525 Det troliga årtalet för Pieter Bruegel d ä:s födelse.

1531 Konstutställningar börjar regelbundet ordnas i Antwerpen.

Patinir: Hieronymus. National Gallery, London

1541 Michelangelos *Yttersta domen* i Sixtinska kapellet blir tillgänglig för allmänheten – ger starka impulser till nederländska konstnärer.

1545 Hieronymus Cock öppnar i Antwerpen sin gravyrateljé och konsthandeln *Aux quattre vents*.

Michelangelo: Yttersta domen, detalj

HISTORIA

1555 Karl V abdikerar vid en ceremoni i Bryssel.
1556 Nederländerna kommer vid habsburgska väldets delning att tillhöra den spanska delen. Filip II:s halvsyster Margareta av Parma blir regent vid 50-talets slut. De växande religiösa motsättningarna leder till oroligheter och resningar.
1565 Ett förbund för Nederländernas frihet, "kompromissen", bildas och protesterar mot kättarförföljelserna.
1567 Hertigen av Alba sänds till Nederländerna för att återställa den katolska ordningen. Spanska "blodsdomstolar" dömer till massavrättningar.
1572 Öppen revolt i de norra provinserna under ledning av Vilhelm av Oranien, som väljs till ståthållare över Holland, Zeeland, Utrecht och Friesland. Fyra år senare ansluter sig även de södra provinserna genom den s k pacifikationen i Gent.
1576 Rudolf II blir kejsare.
1579 Generalståthållaren Alessandro Farnese lyckas splittra provinserna och sluter separatfred med de södra.
1581 De sju nordliga provinserna, med Holland och Zeeland i spetsen, ingår en union i Utrecht såsom staten förenade Nederländerna. Den verkställande makten läggs hos provinsernas generalstater i Haag.
1584 Vilhelm av Oranien mördas. Hans son Moritz för såsom fältherre kriget mot spanjorerna.
1609 Vapenvila på tolv år med Spanien. Delningen bekräftas slutgiltigt i westfaliska freden 1648. Den södra delen, de spanska Nederländerna motsvarar ungefär nuvarande Belgien; de sju provinserna i norr svarar mot dagens Nederländerna.
1612 Rudolf II dör i Prag.

RELIGION

1555 De lutherska protestanterna får i Augsburg en begränsad religionsfrihet enligt principen *cuius regio, eius religio* – samma religion som den härskande fursten. Denna frihet stadfästes sedan genom westfaliska freden.
1560 Reformationen griper omkring sig; enbart i Antwerpen finns omkring 16.000 protestanter.
1564 Johannes Calvin avlider.
1566 Den stora "bildstormen": många kyrkor skövlas och massor av religiösa bilder förstörs – delvis av provokatörer i spansk sold. Oroligheterna upphör först när Margareta av Parma tillåter kalvinistiska gudstjänster.
1572 Vid ett möte med Hollands ständer garanteras religionsfrihet åt såväl katoliker som protestanter.

1581 Unionen i Utrecht medför religionsfrihet inom Nederländerna.

1551 Pieter Aertsen målar sitt första kända marknadsstycke, *Slakteributiken*.
Pieter Bruegel d ä inskrivs i Lukasgillet i Antwerpen. Han inleder sin resa genom Europa till Italien.

1560 Cornelis Floris' rådhus i Antwerpen byggs och får stor betydelse för renässansarkitekturen i Nordeuropa.

1564 Pieter Bruegel d ä har slagit sig ned i Bryssel och börjat måla storfiguriga bilder som *Bonddansen* och *Bondbröllop*.
Pieter Bruegel d y föds.

1569 Johan Gregor van der Schardt slår sig ned i Nürnberg.

Aertsen: Slakteributiken (kat nr 125)

P Bruegel d ä: Bondbröllop. Kunsthistorisches Museum, Wien

1576 Fredrik II beställer en springbrunn för Kronborgs slott av en bronsgjutare i Nürnberg.

1581 Johan III förvärvar Maerten van Heemskercks altartavla, som placeras i Linköpings domkyrka.

1583 Karel van Mander, Cornelis van Haarlem och Hendrick Goltzius bildar den s k Haarlem-akademin.

1593 Giovanni Bolognas ryttarstaty av Cosimo I fullbordas. Lukas van Valckenborch slår sig ned i Frankfurt, en fristad för nederländare i landsflykt av religionsskäl. På 90-talet träder Adriaen de Fries i Rudolf II:s tjänst i Prag, där också Bartolomeus Spranger och Roelandt Savery är verksamma.

1604 Karel van Manders *Schilderboek* publiceras.

Giovanni Bologna: Rudolf II, detalj

Från Florens till Prag

Skulpturens histora i Europa under 1500-talet är till bety-
dande del historien om renässansens segertåg över kontinen-
ten. Det italienska inflytandet innebar inte bara att renässan-
sens antikinspirerade formspråk inom figurkonst och orna-
mentik övertogs, utan också att konsten fick nya, oftast pro-
fana, uppgifter och därmed sammanhängande nya motiv. Sär-
skilt påtagligt är det naturligtvis i de protestantiska länderna,
där ju en stor del av de traditionella kyrkliga uppdragen föll
bort. En viktig faktor i detta sammanhang var furstehusens,
adelns och så småningom även det förmögna borgerskapets
ökande representationsanspråk. Porträtt, gravmonument,
brunnar, trädgårdsskulpturer och dynastiska monument blev
viktiga arbetsuppgifter för 1500-talets skulptörer. Det ita-
lienska inflytandet, som gjorde sig gällande över hela Europa,
innebar också att konsten fick en starkare internationell
karaktär än sengotikens, av lokala verkstadstraditioner präg-
lade konst hade haft.

Som en följd av det spansk-nederländska kriget och den
därmed sammanhängande ekonomiska nedgången utvandrade
nederländska konstnärer i stora skaror; vi finner dem verk-
samma från Italien i söder till Sverige och Baltikum i norr.
Trots denna åderlåtning kunde Antwerpen och en del andra
nederländska städer behålla sin ledande ställning på konstens
område. Under hela den period uställningen omfattar ägde en
omfattande export av gravvårdar, epitafier och andra skulp-
turverk rum från Nederländerna till länderna i norra och östra
Europa. Gustav Vasas gravvård i Uppsala domkyrka av Wil-
lem Boy är ett bra exempel på det. På så sätt kom neder-
ländska konstnärer att spela en mycket viktig roll för sprid-
ningen av renässansstilen i Europa samtidigt som de bidrog
till att de lokala stilskillnaderna suddades ut.

Konstnärernas vandringslust är en viktig orsak till att vi i denna utställning kan visa så många betydande verk av nederländska skulptörer från 1500-talets senare del och 1600-talets början. De utställda skulpturerna har alla det gemensamt att de inte tillkommit i Nederländerna, trots att de flesta av dem har nederländare som upphovsmän. Flertalet härstammar från Sydtyskland, Böhmen och Italien. Vi finner i utställningen emellertid även verk av konstnärer av annan nationalitet. Den följande framställningen ska försöka visa varför det kan vara motiverat att ta med dem i en utställning med titeln *Bruegels tid*.

Florentinsk hovkonst

Den italienska renässansens ledande skulptör var Michelangelo (1475–1564). Hans berömda *David* i Florens kan med sin antikiserande form, sitt monumentala format och sin heroiska hållning uppfattas som en symbol för renässansens konst överhuvud taget. Som en pendang till denna skulptur planerade Michelangelo en grupp som skulle föreställa *Simson i kamp med två filistéer*. Av olika skäl blev den aldrig färdig, men Michelangelo hade gjort en modell, som är känd genom flera kopior. Nationalmuseum äger en sådan kopia. Med sin konstfulla sammanflätning av de tre kämpande gestalterna verkar gruppen inte bara genom sin handlingsmässiga dramatik, alltså som kampskildring, utan nästan lika mycket som en virtuos uppvisning i återgivningen av mänskliga kroppar i komplicerade ställningar. Simsongruppen är en parafras på den tidens mest uppmärksammade antika skulptur, Laokoongruppen, som grävts ut bara några år innan Michelangelo började arbetet med sin skulptur. Michelangelo övertog emellertid inte den antika gruppens reliefmässiga komposition, utan gav sin skulptur en konisk form och uppnådde på så sätt att den fick flera likvärdiga aspekter. Beundran för antiken innebar alltså inte, att man ängsligt kopierade den; tvärtom, de antika förebilderna tycks ofta ha sporrat till tävlan, man ville både efterlikna och överträffa dem. De här uppräknade momenten – tävlan med antiken, odlandet av mästerskap i teckningen, respektive modelleringen av den mänskliga gestalten och utvecklingen av konstfulla kompositioner –

1

Michelangelo (kopia efter)
Simson i kamp med filistéer
Brons, h 33
NMsk 342

skulle bli vägledande för skulpturen under resten av 1500-talet.

Efter Michelangelos död var Jean Boulogne, bättre känd under sitt italieniserade namn Giovanni Bologna (1529–1608), den mest framstående skulptören i Florens. Han hade i likhet med många andra unga nederländska konstnärer begivit sig till Italien, där Rom med sina skatter av antik och modern konst var det främsta målet. På vägen hem mötte han en förmögen mecenat i Florens, som erbjöd honom uppehälle i sitt hus. Det blev upptakten till en enastående karriär för den unge flamländaren, som snart var etablerad som hovskulptör vid det mediceiska hovet.

Giovanni Bolognas mest kända verk är säkert den stora marmorgruppen *Sabinskans bortrövande*. Denna grupp, som avtäcktes 1583, intar en märklig plats i den europeiska konstens historia. Den tycks vara den första skulptur som ställts upp på en offentlig plats på grund av sin konstnärliga kvalitet och inte på grund av sitt motiv. Medan t ex Michelangelos *David* eller den planerade *Simson-gruppen* i första hand måste uppfattas som politiska symboler – de representerar den florentinska republikens politiska moral och dess beslutsamhet att trotsa sina fiender – så berättar samtida källor att Giovanni Bolognas kvinnorovsgrupp fick sitt namn först i samband med uppställningen som en eftergift åt konvenansen, medan konstnären själv tycks ha varit likgiltig för den frågan. För honom låg verkets värde i lösningen av den svåra kompositionsuppgiften. Därmed hade, åtminstone i detta speciella fall, den estetiska kvaliteten blivit konstverkets centrala innehåll, ett för framtiden viktigt resultat av den utveckling vi sett vara på väg redan i Michelangelos Simsongrupp. Liksom hos Michelangelo var det förmågan att komponera samman tre figurer till en dramatisk grupp, här dessutom till synes i strid med tyngdlagen, som samtiden beundrade hos Giovanni Bologna. Ett tecken på denna beundran är de tre färgträsnitt som Andrea Andreani utförde efter skulpturen omedelbart efter dess avtäckning. De tre bladen visar skulpturen från olika sidor, liksom för att understryka att den är lika uttrycksfull från alla håll.

Giovanni Bologna har också utfört politiska monument. 1593 fullbordade han ryttarstatyn över medicihertigen Cosimo I, som ställdes upp på Piazza della Signoria i Florens.

2

Andrea Andreani
efter Giovanni Bologna

Sabinskans bortrövande. Skulpturgrupp, sedd från två sidor (2 blad)

Färgträsnitt, 1584
44,5 × 20
Utg: Bernardo Vecchietto

3

Giovanni Bologna

Rudolf II till häst

Brons, h 63
NMsk 749

Det var det första ryttarmonumentet i modern tid, som inte
tjänade som gravmonument eller epitafium och som alltså
måste uppfattas som en rent politisk symbol. Det kom, vid
sidan av den antika Marcus Aureliusstatyn på Kapitolium i
Rom, att tjäna som förebild för den långa rad liknande monu-
ment som det kungliga enväldet gav upphov till i Europa.
Från och med nu var ryttarporträttet etablerat som den mest
prestigefyllda porträttformen. Giovanni Bologna och hans
verkstad utförde fler ryttarmonument men även ryttarbilder i
statyettformat var efterfrågade. *Ryttarporträttet av Kejsar
Rudolf II* är sannolikt en gåva från det habsburgvänliga medi-

cihovet till kejsaren i Prag. Det är utfört av Giovanni Bologna som en exakt kopia av Cosimos I monument, bara huvudet har bytts ut. Det var inte enda gången konstverk användes som ett medel i det diplomatiska umgänget mellan Europas dynastier. Småskulpturer av Giovanni Bologna tycks oftast ha sänts som gåva till vänskapligt sinnade furstehus.

Det var främst genom dessa småskulpturer, i regel utförda i brons, som Giovanni Bolognas konst fick en sådan spridning, att den kunde påverka skulpturens utveckling i hela Europa. Småskulpturerna vittnar också om att konstsamlandet blivit en viktig faktor i tidens kulturliv. De spänner motiviskt sett över ett ganska brett register, alltifrån religiösa ämnen, aktfigurer och grupper med motiv från antik mytologi till genreframställningar och djur. De flesta av dessa statyetter är kända i flera samtida exemplar, ofta något varierande i utseende och kvalitet. Hemligheten bakom den stora produktionen är att Giovanni Bologna sysselsatte medarbetare, som mer eller mindre självständigt reproducerade mästarens modeller. Här fann många unga landsmän till honom sysselsättning under sina studieår i Italien och även sedan de lämnat Giovanni Bolognas ateljé tycks de ofta ha fortsatt att utföra repliker av de mest efterfrågade modellerna. Giovanni Bologna sysselsatte naturligtvis inte bara nederländare, i själva verket förefaller hans verkstad ha varit en samlingsplats för konstnärer från många olika länder, en smältdegel för en ny stil i Europas skulpturhistoria. Bland de italienska medarbetarna var Antonio Susini (verksam 1580, död 1624) den viktigaste. Efter många år i Giovanni Bolognas ateljé gjorde han sig självständig och fortsatte att producera småbronser både efter dennes och egna modeller. Den ovanligt väl bibehållna *Fågelfängaren* och *Lejon som angriper en tjur* kan tillskrivas honom. I båda fallen rör det sig om variationer på populära Giovanni Bologna-motiv.

Arbeten som med största sannolikhet härstammar från Giovanni Bolognas egen ateljé är den nakne krigaren, ofta kallad *Mars* eller Gladiator (nr 6), och de två *hästarna* (nr 7, 8), medan den ociselerade *Kentaur med kvinna på ryggen* (Nessus och Deianeira, nr 9) visserligen exakt följer Giovanni Bolognas modell men torde vara en senare avgjutning av en bronsskulptur, eftersom den är något mindre än de kända originalen. Storleksminskningen beror på att avgjutningen,

4

Antonio Susini

Fågelfängare

Brons, h 31,5
NMsk 749

5

Antonio Susini

Lejon som angriper en tjur

Brons, h 21
NMsk 341

som vanligtvis är gjord i gips, krymper när den torkar. De bronsstatyetter som sedan gjuts efter denna modell blir därför något mindre än originalet. Den kraftfulla *Neptunus* varierar huvudfiguren på Giovanni Bolognas stora Neptunusfontän i Bologna. Det är av stilistiska skäl emellertid inte troligt, att den utförts i hans egen verkstad. Neptunus är både tyngre till sin karaktär och grövre modellerad än de jämförbara skulpturer av Giovanni Bologna vi känner till.

Giovanni Bolognas verkstadsorganisation ställer frågan om original eller kopia, om egenhändigt arbete eller verkstadsreplik på sin spets. Finns det överhuvud taget egenhändiga arbeten av honom? En kort beskrivning av de olika arbetsmomenten vid tillkomsten av en bronsskulpur visar hur svårt det är att besvara den frågan. Man kan särskilja fyra principiellt olika moment: modelleringen av originalmodellen, prepareringen av gjutmodellen, gjutningen och efterarbetningen, ciseleringen av den gjutna skulpturen.

Alla dessa moment påverkar utseendet av skulpturen, även om naturligtvis modelleringen av originalmodellen är det viktigaste momentet. De fyra etapperna i arbetets gång motsvaras

6

Giovanni Bologna

Mars

Brons, h 39,5
NMsk 334

7

Giovanni Bologna

Häst i skritt

Brons, h 46
NMsk 346

8

Giovanni Bologna

Häst i skritt

Brons, h 23
NMsk 740

9

Giovanni Bologna, kopia efter

Nessus och Deianeira

Brons, h 38
Nationalmuseum, NMsk 740

10

Giovanni Bologna, efterfölja-
re till

Neptunus

Brons, h 115
NMsk 351

i regel av en arbetsdelning mellan olika fackmän. Det tycks
snarast ha varit undantag, att en skulptör själv gjöt sina verk
och det tidsödande efterarbetet utfördes i regel av guldsme-
der. Endast i ett fåtal fall kan man räkna med att Giovanni
Bologna ansvarat för alla de avgörande momenten. I regel har

han säkert bara utfört originalmodellen, som sedan under en
lång följd av år kunde reproduceras av hans medarbetare.
Frågan är i vilken utsträckning han övervakat deras arbete.
Det faktum att man kan urskilja en grupp relativt enhetligt
och omsorgsfullt utförda statyetter tyder på att han övervakat
produktionen ganska noggrant. Särskilt gäller det naturligtvis
sådana arbeten som var avsedda för inflytelserika beställare,
t ex de statyetter som skulle tjäna som diplomatiska gåvor.
Dessa arbeten måste åtminstone i vidare bemärkelse betecknas
som original. Det stora antalet repliker av mindre omsorgs-
fullt utförande och ofta lägre konstnärlig kvalitet visar emel-
lertid att det vid sidan av denna kontrollerade produktion
förekom en omfattande kopieringsverksamhet, i somliga fall
långt efter Bolognas död. Mars och de båda hästarna, som alla
tre sannolikt kommer ifrån Rudolf II:s samling i Prag, kan
göra anspråk på att räknas till gruppen av egenhändiga arbe-
ten, enligt den här givna definitionen på egenhändighet.

Nederländska vandrarkonstnärer

Skulptörverkstäderna i Nederländerna var framförallt specia-
liserade på arbeten i marmor och alabaster. Det är en aspekt
utställningen inte kan visa något prov av. Istället riktar vi
uppmärksamheten på bronsskulpturen, ett område där neder-
ländska konstnärer också spelade en betydande roll. Det
skedde emellertid till största delen utanför hemlandet. Vi har
redan berört Giovanni Bolognas verksamhet i Florens. Cen-
trum för bronsskulpturen utanför Italien var Sydtyskland och
Böhmen. Det fanns flera orsaker till det. En viktig faktor var
koppar- och mässingmanufakturens blomstring i de sydtyska
städerna, särskilt i Nürnberg och Augsburg. Här fanns det
konsthantverkskunnande som var en förutsättning för ut-
vecklingen av en konstnärlig produktion. En annan bety-
dande faktor var de habsburgska och de wittelsbachska furs-
tarnas intresse för bronsskulptur. Från dem och från städernas
råd kom de stora beställningarna.

De nederländska skulptörerna kom i regel till Sydtyskland,
Österrike och Böhmen efter en ofta flerårig vistelse i Italien.
De flesta av dem hade arbetat hos Giovanni Bologna, vi
behöver alltså inte bli förvånade över att upptäcka, att hans
konst är en av de viktigaste utgångspunkterna för den syd-

11

Giovanni Bologna, efterfölja-
re till

Dvärg med lykta

Brons, h 17
NMsk 741

12

Giovanni Bologna, efterfölja-
re till

Dvärg med tupp

Brons, h 16,5
NMsk 742

tyska bronsskulpturens stilistiska utveckling. Det var alltså som förmedlare av den nyaste italienska stilen, tack vare sin förtrogenhet med antikens, Rafaels, Michelangelos och Giovanni Bolognas konst de nederländska konstnärerna gjorde sin lycka i Sydtyskland.

Det är egentligen ganska anmärkningsvärt att de kunde få en så dominerande ställning som de fick, trots att de var utlänningar. De sydtyska städerna var ju på inget sätt konstnärligt underutvecklade. Tvärtom hade de upplevt en utomordentligt rik konstnärlig blomstring under seklets början. Den mest betydande konstnären var Albrecht Dürer men även skulptörer och träsnidare som Veit Stoss, Tilmann Riemenschneider, Hans Leinberger, Hans Daucher m fl var konstnärspersonligheter, som överglänste de flesta av sina samtida kolleger i Nederländerna. När denna generation lämnade scenen tycks emellertid inga efterföljare av format ha funnits, som självständigt kunde assimilera den framträngande italienska renässansen. Den rollen övertogs istället av de från Italien återvändande nederländarna.

Som en följd av de svenska arméernas plundringar under 1600-talets krig i Centraleuropa och i Danmark och i någon mån också tack vare direkta inköp eller beställningar äger Sverige idag en rik samling av europeisk bronsskulptur från decennierna omkring 1600. Denna samling, som omfattar verk av flera av de ledande konstnärerna och från de viktigaste produktionsorterna med undantag av München, ger oss möjlighet att studera bronsskulpturens stilistiska utveckling från renässans till barock men samtidigt också förskjutningen i uppfattningen av den från ett mekaniskt hantverk till en fri konst.

Ungefär jämnårig med Giovanni Bologna var Jan Gregor van der Schardt (ca 1530–efter 1581). Även han begav sig till Italien, där han framför allt tycks ha uppehållit sig i Rom, Bologna och Venedig. Han hade så stor framgång med sin konst, att han som en av ganska få utlänningar omnämns i Giorgio Vasaris stora verk om de berömda italienska konstnärernas liv. Tyvärr känner vi inte till ett enda av hans italienska arbeten. 1569 kallades van der Schardt till Kejsar Maximilians II hov i Wien. Av okänd anledning slog han sig ned i Nürnberg, inte i Wien eller Prag, där hovet mest uppehöll sig. Möjligtvis berodde det på, att arbetsmöjligheterna ansågs

Nicholas de Neuchâtels porträtt av en bildhuggare kan möjligen föreställa Jan Gregor van der Schardt. (Kat nr 154)

13

Wenzel Jamnitzer
Våren
troligen efter modell av Jan Gregor van der Schardt

Förgylld brons
Wien, Kunsthistorisches Museum

14

Wenzel Jamnitzer
Hösten
troligen efter modell av Jan Gregor van der Schardt

Förgylld brons
Wien, Kunsthistorisches Museum

bättre i Nürnberg med dess rikt utvecklade metallhantverk, kanske planerades också, att han skulle samarbeta med de nürnbergska guldsmeder, som regelbundet arbetade för Maximilians räkning.

Det är inte bekant vad Jan Gregor van der Schardt hann utföra åt kejsaren innan denne dog 1576 och vi vet inte heller i vad mån Maximilians efterföljare Rudolf II tog hans tjänster i anspråk. Däremot vet vi, att han gjorde porträtt och statyetter av olika slag åt stadens högre borgerskap och att han levererade modeller till guldsmederna. Sannolikt är det han som utfört modellerna till de förgyllda skulpturer som prydde den inomhusfontän i silver som Maximilian II lät den kände guldsmeden Wenzel Jamnitzer (1508–1585) utföra i Nürnberg. Av denna en gång mycket ryktbara praktpjäs har bara de fyra skulpturerna som föreställer årstiderna bevarats till våra dagar. Något dokumentariskt belägg för van der Schardts medverkan finns inte men jämför vi de här utställda *årstidsskulpturerna* (nr 13, 14) t ex med den signerade *Merkurius* (nr 17) i Nationalmuseum verkar det troligt, att det förhåller sig så.

15

Jan Gregor van der Schardt

Morgonen och Natten
(efter Michelangelo)

Terrakotta
London, Victoria & Albert Museum

16

Jan Gregor van der Schardt

Högerarm och vänsterarm

Terrakotta
London, Victoria & Albert Museum

17

Jan Gregor van der Schardt

Merkurius

Signerad
Brons, h 114
NMsk 350

Jan Gregor van der Schardts rykte som porträttskulptör
nådde också Danmark. För den stora rikssalen på det ny-
byggda Kronborgs slott utförde van der Schardt bronsbyster
av kung Frederik II och hans gemål. I samband med detta
uppdrag vistades han ca två år i Danmark. Tyvärr förstördes
de både bysterna vid slottets brand 1629.

Tack vare ett utförligt inventarium över den stora konst-
samling som den nürnbergske köpmannen Paul von Praun
efterlämnade kan man göra sig en föreställning om konstnä-
rens arbete under åren i Nürnberg. Prauns samling innehöll
ett stort antal kopior av antika men också av berömda mo-
derna skulpturer av hans hand. Dessa kopior understryker
betydelsen av de nederländska konstnärernas förmedlarfunk-
tion. Paul von Praun ägde emellertid också självständiga arbe-
ten av van der Schardt. De flesta hade antika, mytologiska
motiv. Övervägande rörde det sig om terracotta- och vaxfigu-
rer men bronsskulpturer saknades inte heller. Det är lockande
att tänka sig att kopiorna av *Michelangelos skulpturer från
Medicikapellet* i Florens, som enligt uppgift härstammar från
Prauns samling, är utförda av Jan Gregor van der Schardt. I
Prauns samling fanns också flera exemplar i olika storlekar av
en *Merkuriusstatyett* och en stående Minerva. Det största
exemplaret av Merkurius, som tillhör Nationalmuseum, är
signerat I.G.V.S.F. (Ian Gregor Van Schardt Fecit). Det har
troligtvis tillhört den kejserliga samlingen i Prag och kan vara
utfört redan för Maximilian II. I Wien och i Stuttgart finns
vardera ett exemplar av en mindre, snarlik version av samma
figur. Möjligtvis har ett av dem tillhört Tycho Brahe, som på
sitt observatorium Stjärneborg på Ven hade en Merkurius av
samma storlek. Den var placerad på den gräsklädda kupolen
över ett underjordiskt rum och kunde sättas i rörelse med
hjälp av en sinnrik mekanism. Kupolen kallades för Parnassen
och symboliserade alltså musernas hemvist och även Merku-
rius måste i det sammanhanget uppfattas som en symbol för
konster och vetenskaper. Vid ett besök av hertigen av Braun-
schweig på Ven skänkte Tycho Brahe statyetten till honom.
Dess senare öden är okända men det är inte otroligt, att
hertigen, som senare kom att vistas flera år vid hovet i Prag
som en av Rudolfs II förtrogna, skänkte Merkuriusstatyetten
till kejsaren, vars intresse för Tycho Brahe ju är välkänt.
Tycho Brahe kan ha förvärvat statyetten av van der Schardt

18

Jan Gregor van der Schardt

Merkurius

Brons, h 53
Wien, Kunsthistorischens Museum

19

Jan Gregor van der Schardt

Merkurius

Brons, h 53
Stuttgart, Württembergisches Lan-
desmuseum

när denne vistades i Danmark eller ha fått den direkt från
Nürnberg i samband med andra beställningar därifrån.

Två danska brunnar

1576 beställde Frederik II en stor springbrunn för sitt slott
Kronborg av den kände bronsgjutaren Georg Labenwolff
(död 1585) i Nürnberg. Brunnen, som kröntes av Neptunus
dragen av ett spann sjöhästar, pryddes i övrigt av antika
gudagestalter och andra figurer, alla i brons. Betecknande för
släktskapen mellan metallskulptur och mekaniska leksaker
under denna tid är att den stora Neptuniusfiguren, på lik-
nande sätt som Tycho Brahes Merkurius, kunde sättas i en
roterande rörelse. I Neptunus fall skedde det genom vatten-

*Georg Labenwolffs Neptunus-fontän på
Kronborg efter en anonym teckning.*

tryck. När svenskarna under Karl X Gustavs danska krig ockuperade Kronborg monterade de ned brunnen och förde skulpturerna till Stockholm. Där smältes de senare till största delen ned. Bara de tre gudinnorna, *Juno, Venus* och *Minerva* har bevarats till våra dagar. På Braunius fågelperspektiv över Helsingör och Kronborg ser vi en schematisk bild av brunnen på dess ursprungliga plats. En noggrannare avbildning finner vi i Doppelmayrs *Historische Nachricht ...* från 1730. Detta kopparstick är gjort efter en teckning, som gjordes av brunnen i Nürnberg, innan den fraktades till Danmark.

Kronborgsbrunnens ovanligt väl dokumenterade tillkomsthistoria är ett belysande exempel på hur komplicerad frågan om det konstnärliga upphovsmannaskapet oftast är när det gäller äldre bronsskulptur. Labenwolff själv var gjutare, inte skulptör. Han anlitade skulptörer för att modellera eller snida de modeller han gjöt efter. Vi känner namnet på några av dessa medarbetare men kan inte binda dem till några enskilda verk. Det faktum att samma eller snarlika figurer återkommer

20

Georg Labenwolff (gjuten av)

Juno

Brons, h 156
NMsk 1103

21

Georg Labenwolff (gjuten av)

Venus

Brons, h 144
NMsk 1104

22

Georg Labenwolff (gjuten av)

Minerva

Brons, h 147
NMsk 1105

i olika format under olika tider i gjuteriets produktion gör det troligt, att Labenwolff förfogade över en samling modeller, ett slags prototyper, som efter behov kunde reproduceras i önskat format. Ett bra exempel på det är den lilla *Neptunusstatyetten* (nr 23), som är en variation på Kronborgsfontänens Neptunus och som troligtvis gjutits av Labenwolffs arvtagare till rörelsen, Benedikt Wurzelbauer (1548–1620). Man kan tänka sig, att Kronborgsbrunnens figurer modellerats av Labenwolffs medhjälpare efter prototyper, som redan tidigare existerade i verkstaden och som kan ha utförts av någon betydligt skickligare konstnär än de omedelbart medverkande. Det ligger nära till hands att tro, att Jan Gregor van der Schardt kan ha försett Labenwolff med sådana modeller. Utförandet av de tre gudinnorna är emellertid så mycket grövre än hans egna arbeten, att det är omöjligt att avgöra i det här fallet.

Det är betecknande för situationen i Nürnberg, att det är gjutarens namn vi känner, att det var gjutaren som var företagaren man förhandlade med, medan den konstnärliga upphovsmannen till skulpturerna är okänd. En bronsskulptur, och framför allt då ett så komplicerat arbete som en springbrunn, uppfattades i första hand som gjutarens, inte som skulptörens verk. Hantverket var fast organiserat och hade en stark ställning. Det är mot den bakgrunden vi måste förstå att en så framstående konstnär som Jan Gregor van der Schardt kan vara så svår att få grepp om idag. Det får betraktas som uteslutet, att en skulptör kunde slå sig ned i Nürnberg och börja utföra bronsskulpturer på egen hand. För att få driva en egen verkstad krävdes burskap i staden, vilket var förenat med stora kostnader, och dessutom ett ansenligt driftskapital. Man kan anta att van der Schardt saknade de ekonomiska resurserna att etablera sig som egen företagare i Nürnberg. Det är dessutom osäkert om hans utbildning fyllde de strängt formella skråstadgarnas krav. Som hovkonstnär behövde han inte bekymra sig om det; för all verksamhet utöver uppdragen från hovet innebar det emellertid ett avgörande hinder.

Kronborg var en byggnad som vältaligt vittnade om den makt och rikedom Danmark uppnått under Frederiks regering men också om landets ambitioner att hävda sig även på det kulturella planet. I praktfull utsmyckning kom Kronborg emellertid snart att överglänsas av det slott Christian IV lät

23
Benedikt Wurzelbauer
Neptunus
Brons, h 36,5
NMsk 1424

Adrian de Fries

Merkurius med lejon

Brons, h 105
Drh 57

25

Adrian de Fries

Fama med lejon

Brons, h 119
Drh 56

26

Adrian de Fries

Pax med lejon

Brons, h 100
Drh 58

bygga vid Hillerød, Frederiksborg. Även här pryddes borg-
gården av en stor fontän med bronsfigurer. Brunnens tema
liknade Kronborgsbrunnens: överst Neptunus som en sinne-
bild för den danske kungen och hans anspråk på herraväldet
över haven och i övrigt skulpturer, som symboliserade landets
rikedom och makt. På Frederiksborgsfontänen spelade heral-
diska motiv en stor roll. De tre *lejonen åtföljda av allegoriska
figurer* är det danska riksvapnets lejon, som fått liv och tagit
plats på brunnskarets kant, och kronorna, som de allegoriska
figurerna håller över deras huvuden och som ursprungligen
var förenade med kungens namnchiffer C4, är sannolikt en
anspelning på de vid denna tid särskilt omstridda tre kronorna
i det danska respektive det svenska riksvapnet. Vi ska inte
glömma, att Frederiksborgsbrunnen tillkom strax efter det för
Christian framgångsrika Kalmarkriget. Av mer lekfullt deko-
rativ natur är *Gosse med gås* (nr 27) som också hörde till
Neptunusfontänen.

Om den danska segern låg bakom brunnens tillkomst så
blev krigslyckans växling dess öde. 1659 plundrade svenska
trupper även Frederiksborg och de värdefulla bronsskulptu-
rerna fördes till Stockholm. Idag står de flesta av dem i Drott-
ningholm.

Frederiksborgsbrunnen är utförd av Adrian de Fries
(1545–1626) i Prag. Det innebär en viktig skillnad gentemot

27

Adrian de Fries

Gosse med gås

Brons, h 46, l 75
Drh 61

FONS EX MARMORE ET AVRICHALCO CVM IMAGINIBVS HERCVLIS ET CHARITVM AVGVSTÆ VINDEL: IN FORO VINARIO OPVS STVPENDVM.

28
Jan Muller
efter Adrian de Fries

Herkulesbrunnen i Augsburg

Kopparstick, 1602
61 × 56

29
Wolfgang Kilian

Herkulesbrunnen i Augsburg

Kopparstick, 43,5 × 35,5
Statens museum for Kunst, Köpen-hamn

30
Jan Muller
efter Adrian de Fries

Herkules och hydran
Den krönande gruppen på Her-kulesbrunnen i Augsburg

Kopparstick
55,5 × 36,5

31
Lucas Kilian
efter Hubert Gerard/Frans Aspruck

Augustusbrunnen i Augsburg

Kopparstick, 1598
46 × 36

32
Okänd konstnär

Herkulesbrunnen i Augsburg

Laverad pennteckning,
49,2 × 43 (beskuren)
Påskrift: Hadrian Fris
NMH 168a/1891

Kronborgsbrunnen. Adrian de Fries var konstnär, inte gjutare. Medan vi inte vet vem som var den konstnärliga upphovsmannen till Kronborgsbrunnens skulpturer, vet vi inget om vilken eller vilka gjutare Adrian de Fries anlitade. Så mycket är i alla fall säkert, att han förfogade över gjutare av yppersta klass. En jämförelse mellan skulpturerna från de båda brunnarna visar med vilken finess karaktären av vaxmjuk modellerad yta förts över i bronsen. Jämfört med det verkar Kronborgsbronserna stela och hårda. Det är också karakteristiskt, att många detaljer, som är utarbetade av ciselören på Labenwolffs skulpturer, är gjutna på Frederiksborgsfigurerna. Förklaringen till detta måste vara, att Adrian de Fries omsorgsfullt övervakade gjutningen av sina skulpturer och att han såg till, att hans konstnärliga intentioner inte förfuskades vid överföringen av originalmodellen till metall. Gjutaren arbetade efter konstnärens direktiv och bestämde inte, som i Labenwolffs fall, själv sina kvalitetsanspråk.

Adrian de Fries i Prag

När Adrian de Fries gjorde Frederiksborgsbrunnen var han redan en gammal man. Han var född i Haag och arbetade under flera år hos Giovanni Bologna i Florens. Av Giovanni Bolognas många medhjälpare är han nog den som förvaltat arvet från mästaren både mest kongenialt och självständigt. I början av 1590-talet trädde Adrian de Fries i kejsar Rudolf II:s tjänst. För dennes räkning utförde han ett antal stora bronsskulpturer med mytologiska motiv, som antagligen smyckade en sal i residenset Hradschin i Prag. Något år senare finner vi honom i Augsburg, där han mellan 1596 och 1602 utförde två stora brunnar, Herkulesfontänen och Merkuriusfontänen, som båda står kvar på sina ursprungliga platser i nära nog oförändrat skick. Det var sannolikt kännedomen om dessa brunnar som föranledde Christian IV att ge uppdraget att göra Frederiksborgsfontänen till Adrian de Fries. Kopparstick och teckningar av brunnarna i Augsburg visar att intresset för dem var stort (nr 28–30, 32). 1602 återvände Adrian de Fries till Prag, där han stannade till sin död.

Intressantast av de tidigaste verken för Rudolf II är kanske den 250 cm höga *Merkurius och Psyke-gruppen*, som torde ha varit hans av samtiden mest kända verk, tack vare de kopparstick Jan Muller (1571–1628) utförde av den. Liksom Andrea Andreani avbildade Sabinskans bortrövande från tre olika håll återgav Jan Muller skulpturen i tre olika aspekter. Adrian de Fries' verk står på många sätt Giovanni Bolognas skulptur nära. Motivet att låta en figur bära en annan har vi redan mött i Sabinskans bortrövande. Adrian de Fries stegrar svårighetsgraden genom att framställa gruppen flygande och reducera stödet till ett minimum. Idén att återge en flygande figur som friskulptur går också tillbaka på Giovanni Bologna, som förverkligade den i sin kanske populäraste skapelse, den flygande Merkurius. Ett vackert exemplar av den skulpturen befann sig i kejsarens ägo men vi kan också utgå ifrån att Adrian de Fries under sina år i Florens själv utfört några av de efterfrågade Merkuriusstatyetterna. Merkurius och Psyke kom med Pragrovet till Stockholm men skänktes redan kort efter sin ankomst bort av drottning Christina och befinner sig idag i Louvren. Kvar i Sverige blev däremot dess pendang, *Psyke*

33

Jan Muller
efter Adrian de Fries

Merkurius och Psyke – skulpturgrupp, sedd från tre olika håll
(3 blad)

Kopparstick, 1593
55,5 × 25,5
Nationalmuseum och Statens Museum for Kunst, Köpenhamn

34

Adrian de Fries

Psyke buren av amoriner

Brons, h 187
NMsk 352

buren av amoriner. Även det är en skulptur som tycks upp-häva tyngdlagen. Förebilden till Psyke är en fresk av Rafael i Villa Farnesina i Rom och även Merkurius och Psyke-grup-pen torde vara inspirerad av en av Rafaels fresker. Troligen har de båda grupperna ingått i en rumsutsmyckning med Psykesagan som tema. Merkurius är en ständigt återkom-mande figur i den allegoriska konsten under Rudolf II och Psykesagan kunde avvinnas många symboliska meningar.

Det är lockande att föreställa sig, att den stora *flygande Merkurius* som för första gången presenteras för en större publik i denna utställning, också hörde till denna ensemble. Den kan med säkerhet tillskrivas Adrian de Fries och bör ha tillkommit ungefär samtidigt med de båda Psykegrupperna. Den stämmer bra i storlek med dessa och passar ju även te-matiskt in i sammanhanget. Det är troligt, även om det hittills inte kunnat bevisas, att den kommit med Pragrovet till Sve-rige. Att Adrian de Fries i likhet med Giovanni Bologna och Jan Gregor van der Schardt inte drog sig för att upprepa sina kompositioner visar *Merkuriusstatyetten* (nr 39) från Stift Lambach i Österrike, som formalt står den stora Merkurius

35

Michel Angelo Maestri
efter Rafael

*Psyke återvänder från Hades –
Del av taket i Villa Farnesina*

Gouache på kopparstick   38 × 65

36

Michel Angelo Maestri
efter Rafael

Merkurius och Psyke

Gouache på kopparstick   38 × 65

37

Lukas Kilian
efter Michelangelo

Herkules och Cacus. Skulptur-grupp, sedd från tre sidor

Kopparstick   20 × 11

mycket nära men som att döma av modelleringen av ansiktet och en del andra enskildheter måste dateras senare, troligtvis ungefär samtidigt med Frederiksborgsskulpturerna.

Rudolf II var sin tids störste konstsamlare och han sysselsatte också en stor skara konstnärer, som bodde på slottet och arbetade nästan uteslutande för honom. Under hans regeringsår blev Prag ett av Europas viktigaste konstcentra. Det nära samarbetet mellan hovkonstnärerna, den ständiga konfrontationen med de rika samlingarna och kejsarens personliga engagement i konstnärernas arbete skapade förutsättningarna för den mycket speciella, konstfullt artificiella rudolfinska stilen, som betecknar en höjdpunkt i manierismen utanför Italien.

För Rudolf II utförde Adrian de Fries också den 1607 daterade *bronshästen*. Som vi sett var hästatyetter omtyckta samlarobjekt. I Giovanni Bolognas ateljé hörde de till den stående repertoaren och av Adrian de Fries har flera hästskulpturer bevarats. Hästmotivets popularitet återspeglar hästarnas centrala betydelse både som bruksdjur och prestigeobjekt. Kejsarens intresse för ädla hästar var välkänt. Det kan inte uteslutas, att en del hästskulpturer är porträtt av hans

38

Adrian de Fries

Merkurius

Brons, ca 185
Privat ägo

39

Adrian de Fries

Merkurius

Brons, h 45,5
Stift Lambach, Österrike

40

Adrian de Fries

Häst i trav

Signerad och daterad 1607
Brons, h 94
Nationalmuseum, Drh Sk 64

favorithästar; sådana porträtt är ju inte okända, i Sverige kan man påminna om Ehrenstrahls målningar av Karl XI:s hästar.

En central plats i den rudolfinska konstnärskretsen intog målaren Bartholomeus Spranger. Liksom Adrian de Fries var han nederländare och hade en flerårig verksamhet i Italien bakom sig, när han trädde i kejsarens tjänst. *Venus och Vulkanus* (nr 41), ett fragment av en ursprungligen större målning, är genom sitt motiv med dess erotiska implikationer, sina slanka, långarmade gestalter, sin ytmässiga, figurfyllda komposition och den starka kontrasten mellan ljus och skugga karakteristisk för Sprangers konst.

En intressant roll inom den rudolfinska hovkonsten spelades av reproduktionsgrafiken. Konstnärerna, som såg sina verk införlivas med konstkammaren, där de bara tycks ha varit tillgängliga för ett ringa fåtal, anlitade ofta kopparstickare för att reproducera sina verk. Särskilt Egidius Sadelers och Jan Mullers namn är på så sätt intimt förknippade med den rudolfinska konsten (nr 33, 42–45). Reproduktionsverksamheten måste ha skett med kejsarens goda minne, man får till och med intrycket att den kan ha varit en medvetet uppmuntrad del av den kejserliga propagandan. Genom sticken,

41
Bartholomeus Spranger
Venus och Vulkanus (fragment)
Signerad
Olja på trä 52 × 62
Bystad, Friherre Carl Gripenstedt

42
Jan Muller
efter Adrian de Fries
Sabinskornas bortrövande.
(3 blad)
Kopparstick 45 × 30

43
Jan Muller
efter Adrian de Fries
Kleopatras död
Kopparstick 36,7 × 25

44
Jan Muller
efter Adrian de Fries
Visheten
Kopparstick 31,7 × 19

45
Jan Muller
efter Adrian de Fries
Apollo och Python
Kopparstick 40,5 × 30,7

46
Egidius Sadeler
efter Adrian de Fries
Rudolf II till häst
Kopparstick

Adrian De Fries

Häst som stegrar sig

Signerad och daterad 1622
Brons, h 95,5
Nationalmuseum, Drh Sk 62

som ofta återger motiv med anknytning till kejsarens politiska ambitioner eller mecenatskap, spreds Prags rykte som ett kulturcentrum och därmed Rudolfs anspråk att uppfattas som en ny Augustus, utan att han för den skull behövde avstå från att behålla originalen för sig själv. Mot den bakgrunden behöver det inte förvåna oss att Rudolf II inte lät resa några offentliga monument över sig själv eller sina föregångare i Prag eller på andra håll i riket. Däremot har Egidius Sadeler (1570–1629) utfört hans ryttarporträtt som kopparstick efter en förlaga av Adrian de Fries.

Efter Rudolfs död 1612 stannade Adrian de Fries kvar i Prag, trots att hovet flyttade till Wien. Man kan förmoda att han varken ville eller kunde flytta sin verkstad och sina skickliga gjutare och ciselörer. Eftersom den nye kejsaren, Matthias, knappast tycks ha anlitat hans tjänster, var han friare än tidigare att ta emot uppdrag utifrån. Det var nu den stora Frederiksborgsbrunnen kom till. På vems uppdrag *Hästen som stegrar sig* och *Herkules, Nessus och Deianeira* tillkommit är inte bekant. Båda är signerade och daterade 1622.

48

Adrian de Fries

Herkules, Nessus och Deianeira

Signerad och daterad 1622
Brons, h 128
Nationalmuseum, Drh 65

Sitt sista stora uppdrag utförde Adrian de Fries för Albrecht von Waldstein, som på 1620-talet lät uppföra ett praktfullt palats med vidlyftiga trädgårdsanläggningar på Lillsidan i Prag. Även dessa skulpturer blev svenskarnas byte och står idag till största delen i Drottningholm, förenade med skulpturerna från Frederiksborg. Den sittande nymfen (nr 49) hörde till en brunn i Waldsteinträdgården. Med sin skissartade, flyktiga men också ganska grova modellering är den ett exempel på sista fasen i konstnärens stilistiska utveckling. Samtidigt som han ännu var i stånd att lägga upp storartade kompositioner som Laokoongruppen i Drottningholm förmådde han inte längre hålla den balans mellan precision och virtuost flyktig elegans i modelleringen, som Frederiksborgskulpturerna ger ett så övertygande prov på.

När Adrian de Fries dog 1626 rasade 30-åriga kriget sedan flera år. Det innebar slutet för bronsskulpturens blomstring i Sydtyskland och Böhmen. Visserligen fortsatte produktionen av bronsskulptur men den nådde varken den mångfald eller den kvalitet som kännetecknar epoken före det stora kriget. Nästa blomstringsperiod i den sydtyska skulpturen växte fram i tecknet av rekatolisering och motreformation. De kyrkliga uppdragen dominerar och den lite kyliga, eleganta manierismen har avlösts av en yvigare och uttrycksstarkare högbarock stil.

LARS-OLOF LARSSON

49

Adrian de Fries
Nymf
Signerad och daterad 1625
Brons, h 116
Nationalmuseum, Drh 69

Grafiken – handelsvara och propagandavapen

Grafiken fick stor betydelse i Nederländerna under 1500-talet. Tidigare hade grafiska blad tjänat som förlagor för konstnärer, som andaktsbilder och illustrationer. Nu tillkom nya bildkategorier och nya användningsområden. Utbudet ökade kraftigt från mitten av århundradet, och grafiska blad blev både en handelsvara och ett propagandavapen.

Förläggarna sätter sin prägel på utvecklingen. De samordnar arbetet: produktionen av förlagor, gravörernas arbete och marknadsföringen. Den typ av specialisering och uppdelning av arbetet som gör förläggaren nödvändig, uppstod först i bokproduktionen, som var uppdelad på flera led och tekniskt mera komplicerad. För grafiken sker det först i kretsen kring Rafael på 1510-talet, då reproduktionen av dennes verk får organiserade former. I Nederländerna kommer specialiseringen senare. Gravörer som Lucas van Leyden under seklets förra hälft graverar sina egna kompositioner. Ett slags mellanled utgör de grafiker som utöver sina egna verk kopierar och varierar andras. Sådana reproduktionsgrafiker finner man på 1540-talet, Cornelius Bos i Antwerpen, Dirk Volkertz Coornhert i Haarlem m fl. Arbetsfördelningen blir heller aldrig så total som inom bokproduktionen, de flesta grafikförläggarna utövar själva grafikeryrket.

På detta som på andra områden tog Antwerpen ledningen. Omkring 1550 fanns flera förläggare där, men den som totalt kom att dominera under de följande decennierna var Hieronymus Cock. Hans förlag, med det mycket passande namnet *Aux quattre vents* (ungefär "För alla världens vindar"), producerade bilder av de mest skiftande slag och introducerade en rad nyheter.

Till nyheterna hörde gravyrer föreställande antika skulpturer och romerska ruiner, samt reproduktioner av italienska eller Italien-influerade nederländska konstnärers verk. De fångade upp och gav spridning åt det starka intresset för antiken och den italienska renässansen bland konstnärer och lekmän. Något senare introducerades landskapet som en ny genre. Landskapsbilder gavs ut i serier, alltifrån idealiserande ruinlandskap till små realistiska, flamländska vyer.

Särskilt betydelsefullt blev det samarbete som Cock inledde med Pieter Bruegel omkring 1555. Bruegel knöts nära till förlaget och tecknade sina förlagor direkt för gravörerna. Hela hans produktion kom ut hos Cock, serier av landskap, allegorier och groteskerier.

Mellan 1550 och 1570 arbetade nästan alla mera betydande nederländska grafiker för Cock, och många i den följande generationen fick sin skolning hos honom. Kopparsticket var den helt förhärskande tekniken. En speciell metod att översätta förlagan till en grafisk bild växte fram, där former, ljuseffekter och ytstruktur återgavs genom system av streck och punkter. Impulser i denna riktning hade kommit från Italien, och en av de främsta italienska gravörerna, Giorgio Ghisi, arbetade för Cock i Antwerpen 1550–55. Han fick stor betydelse för de nederländska gravörerna, till de främsta hörde Philip Galle och Cornelis Cort.

Bruegels grafik skiljer sig på ett betydelsefullt sätt från detta nya manér. Hans tecknade förlagor återges streck för streck, och dessa grafiska blad speglar därför konstnärens personliga stil i högre grad än vad som var vanligt inom reproduktionsgrafiken. En särställning intar också grafiken efter Heemskerck, som också gjorde noggrant tecknade förlagor. Det gäller särskilt i det intima samarbetet med gravören Coornhert, som dessutom var en lärd man och inte sällan hittade på ämnena åt Heemskerck.

Etsning förekommer i viss utsträckning. Eftersom det var lättare att arbeta i ett vaxlager ovanpå kopparplåten och låta syran etsa in linjerna, än att gravera in dem i plåten med en stickel, föredrog oftast de konstnärer som ägnade sig åt grafik att etsa. Kopparsticket blev en teknik för specialisten, yrkesgravören. Kopparstickets större prestige gjorde att de yrkesverksamma etsarna gärna imiterade dess karaktär, och eftersom etsningen inte var lika tidskrävande blev etsarnas produktion desto större. Den etsade linjens egen karaktär, som påminner om teckningen, kom särskilt till sin rätt i landskapsframställningarna. Som etsare av landskap var Cock själv en föregångsman.

Efter Cocks död 1570 gick hans förlag tillbaka. Redan dessförinnan hade Galle startat egen förlagsverksamhet och

9.
SCVLPTVRA IN ÆS.
Sculptor noua arte, bracteata in lamina   Scalpit figuras, atque prælis imprimit.

Grafikernas verkstad. Kopparstick av Philip Galle efter Jan van der Straat (Katnr 96)

Cort rest till Italien, där han bl a arbetade för Tizian.

Antwerpen stärkte snarast sin position som huvudcentrum för grafikproduktionen i Europa i slutet av 1500-talet, men inget enskilt förlag kunde dominera marknaden på samma sätt som Cocks hade gjort. De viktigaste förläggarna var själva skickliga gravörer, och förlagen var familjeföretag. Så arbetade t ex hos Galle sonen Theodor och svärsonen Adriaen Collaert. Produktivast av alla var bröderna Wierix, Anton, Hieronymus och Jan, som skolats hos Galle. Enbart dessa tre utförde långt över två tusen gravyrer, vilket är flera gånger mer än Cocks hela produktion.

Ett annat betydande förlag drevs av bröderna Jan och Rafael Sadeler. På 1590-talet var Jan Sadeler gravör vid hovet i München, och brorsonen Aegidius blev hovkopparstickare hos Rudolf II i Prag, där han dog 1629. Han graverade stora mängder bilder efter de många landsmän, som under längre eller kortare tid var verksamma där, Spranger, Paul van Vianen, Pieter Stevens, Roelandt Savery m fl.

Till de konstnärer som flitigast bidrog med förlagor till den stora produktionen i Antwerpen hörde Maerten de Vos och Jan van der Straet (Stradanus), den senare hovmålare i Florens. En stor del av utbudet fick sin prägel av motreformationen; det var helgonbilder och andaktsbilder av olika slag. Jesuiterna använde med förkärlek gravörer från Antwerpen, och genom deras mission spreds bladen även utanför Europa.

Utvecklingen i de protestantiska provinserna i norr följde andra vägar, både när det gällde motivval och stil. Den internationella manierismen som utgick från Spranger slog rot där, och Hendrik Goltzius' grafik blev den viktigaste förmedlaren av den. Goltzius hade arbetat för Cock och Galle och tagit intryck av Cornelis Cort innan han återvände till Haarlem. Han förde kopparsticksstekniken till en ny höjdpunkt. Hans virtuosa behandling av den graverade linjen blev normerande för reproduktionsgrafiken under flera århundraden.

Hendrik Goltzius: Självporträtt, 1591 (Kat nr 182)

BÖRJE MAGNUSSON

Okänd gravör efter Pieter Bruegel: Hölasset som jagar hästen. Ur serien Tolv flamländska ordspråk. (Kat nr 57)

KABINETT A:
Allegori, satir och genre

51

Jan eller Lucas van Duetecum
efter Hieronymus Bosch

*Den helige Martin och hans häst
ombord på ett skepp*

Etsning och kopparstick 33,7 × 42,7
Utg: H Cock
Möjligen efter en målning som tidigare fanns i Rudolf II:s samling.

52

Jan eller Lucas van Duetecum
efter Hieronymus Bosch

Belägringen av elefanten

Etsning och kopparstick 40,2 × 53,8
Utg: H Cock
Möjligen efter en målning av Bosch.

53

Okänd gravör
efter Hieronymus Bosch

Yttersta domen

Kopparstick 33,8 × 50
Utg: H Cock

54

Johan Wierix
efter Pieter Bruegel

*Mannen med säcken med pengar
och hans smickrare*

Ur serien "Tolv flamländska
ordspråk"

Kopparstick Diam 17,7

55

Johan Wierix
efter Pieter Bruegel

Misantropen bestulen av världen
Ur serien "Tolv flamländska
ordspråk"

Kopparstick
Diam 17,9
Målning av samma motiv i Neapel,
dat 1568

56

Okänd gravör
efter Pieter Bruegel

*En narr som ruvar på ett tomt
ägg*
Ur serien "Tolv flamländska
ordspråk"

Kopparstick
Diam 17,7

57

Okänd gravör
efter Pieter Bruegel

Hölasset som jagar hästen
Ur serien "Tolv flamländska
ordspråk"

Kopparstick Diam 17,7

58

Philip Galle
efter Pieter Bruegel

Barmhärtigheten
Ur serien "De sju kardinaldygderna"

Kopparstick
22,2 × 28,9
Utg: H Cock
Förlageteckning i Rotterdam, dat
1559

Figuren i mitten symboliserar barmhärtigheten, de två barnen, det brinnande hjärtat, pelikanen som enligt legenden tar ut sitt hjärta för att föda sina ungar. Däromkring de sju barmhärtighetsgärningarna: att föda de hungrande, ge dricka åt de törstande, kläda de nakna, besöka de sjuka, hjälpa de fängslade, härbärgera de resande, begrava de döda.

59

Philip Galle
efter Pieter Bruegel

Rättvisan
Ur serien "De sju kardinaldygderna"

Kopparstick
22,3 × 28,7
Utg: H Cock
Förlageteckning i Bryssel, dat 1559

Rättvisan framställd på traditionellt sätt med förbundna ögon och med vågskålar och svärd i handen. Runtomkring olika bestraffningsmetoder.

60

Philip Galle
efter Pieter Bruegel

Klokheten
Ur serien "De sju kardinaldyg-
derna"

Kopparstick
22,3 × 29,3
Utg: H Cock
Förlageteckning i Bryssel, dat 1559

Den symboliska gestalten med ett
såll på huvudet (för att skilja gott och
dåligt), en spegel (självkännedom)
och likkista (förutseende) omges av
kloka, förutseende handlingar, som
att lägga upp förråd och reparera,
släcka elden med vatten, att söka lä-
kare och att bikta sig.

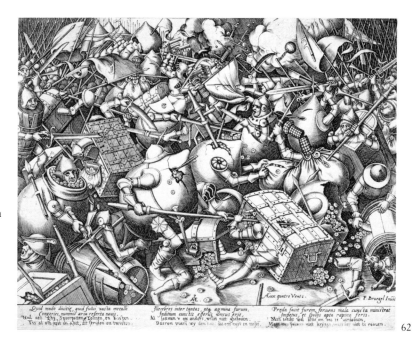

61

Pieter van der Heyden
efter Pieter Bruegel

De stora fiskarna äter de små

Kopparstick
23 × 29,5
Utg: H Cock
Förlageteckning i Wien, dat 1556

Bilden illustrerar ett nederländskt
ordspråk. Förekomsten av Hierony-
mus Bosch's namn på sticket har tol-
kats så att det skulle ha funnits en
förebild av honom, eller att Cock
skulle ha föredragits hans namn
framför den ännu okände Bruegels.

62

Pieter van der Heyden
efter Pieter Bruegel

*Kampen mellan sparbössorna och
kassakistorna*

Kopparstick, omkr 1563
23,6 × 30,5
Utg: H Cock

63

Pieter van der Heyden
efter Pieter Bruegel

*En handelsresande plundrad av
apor*

Kopparstick, 1562
25,5 × 29
Utg: H Cock

En traditionell satir över handelsre-
sanden som sålt sina varor och slar-
vat bort förtjänsten.

64

Pieter van der Heyden
efter Pieter Bruegel

Det magra köket

Kopparstick, 1563
22 × 29
Utg: H Cock

I det magra köket vill den fete inte
stanna.

65

Pieter van der Heyden
efter Pieter Bruegel

Det feta köket

Kopparstick, 1563
22 × 29
Utg: H Cock

I det feta köket får den magre inte
stanna.

66

Pieter van der Heyden
efter Pieter Bruegel

Kvacksalverskan i Mallegem

Kopparstick, 1559   35,5 × 48
Utg: H Cock

Mallegem är ett påhittat namn som
betyder ungefär "dårarnas hemvist".
Enligt en dåtida föreställning slog
galenskapen ut som kulor eller stenar
i pannan och måste skäras bort.

OSSA GENAS PENETRANT, QVEIS VICTVM HAEC MENSA MINISTRAT.

Ou Maigre-os le pot mouut, il'l Vil pourre Coniur
Pourre, à Grasse-cuisine truy, tant que ie Vhe

Ce front meigre, qui rouge, & qui a peine touche
Le pain d'une dens seule, & a peine d'un doigt
Le pocal plein d'eau clere approche de sa bouche
Ne rit entre Ceres, et Bacchus en son toict.

Daer magherman die pot roert is een arm ghasterije
das Loof ich nae ib urtt Curkm met herffm hise

Compt heyncken smalbeck, langht hier ons potasie
Scherpenéus doet ons met den waterpap swillen
Magherman reurt den pot, vetman maect courage
Die op onsen aerbeyt, melt syn veite billen.

64

67

Pieter van der Heyden efter Pieter Bruegel

Bröllopet mellan Mopsus och Nisa

Kopparstick, 1570
22,2 × 29
Utg: H Cock

Titeln är hämtad från den antike för-
fattaren Vergilius, men den hårresan-
de bruden och den panikslagne
brudgummen hör snarast hemma
bland karnevalsupptågen.

68

Jan eller Lucas van Duetecum efter Pieter Bruegel

Sankt Georgsfesten (Kermesse)

Etsning och kopparstick, omkr 1561
33,2 × 52,3

Utg: H Cock (Nyutgåva av P de la
Houve, Paris 1601)

Festerna till olika skyddshelgon
(kermesse) firades med parader, fri-
luftsteater, lekar, dans och tävlingar.
Dessa världsliga upptåg var illa sedda
av motreformationen.

69

Frans Hogenberg

Striden mellan karnevalen och fastan

Etsning, 1558
32,5 × 51,6
Utg: H Cock

70

Hans Liefrinck efter Leonardo da Vinci

Karikatyrer (3 blad)

Kopparstick
15 × 21, 12,2 × 19 resp 16 × 21,4

Karikatyrer efter Leonardo omvand-
lade till komiska scener publicerades
av H Cock, och har möjligen sam-
band med de farser uppförda vid
festligheter, liksom striden mellan
karnevalen och fastan.

71

Pieter van der Borcht

Det stora bondbröllopet

Etsning, 1560   36 × 50
Utg: B de Momper

Landskap

72

Hieronymus Cock
efter Matthys Cock

Landskap med flykten till Egypten

Etsning, 1558
22 × 30,7
Utg: H Cock

73

Hieronymus Cock
efter Matthys Cock

Landskap med Tobias och ängeln

Etsning, 1558
23 × 31,4
Utg: H Cock

74

Okänd konstnär

Bygata (3 blad)

Etsning, var och en 105 × 157

Kopior efter andra serien av "Små landskap"
Utg 1561 av H Cock

75

Hans Collaert
efter Hans Bol

Byar nära Bryssel (2 blad)

Kopparstick
Vart och ett 13,8 × 19,8
Utg: H van Luyck

76

Hans Bol

Tävlan om att snappa gåsen

Etsning
33 × 46
Utg: B de Momper

77

Hans Bol

Hjortjakt

Etsning
38,3 × 79
Utg: H Cock

78

Hieronymus Cock
efter Pieter Bruegel

Landskap med Kristi frestelse

Etsning
31,6 × 43,2
Utg: H Cock

Etsningen bygger på en teckning i Prag dat 1554. Figurgruppen är till-lagd av Cock.

79

Jan eller Lucas van Duetecum
efter Pieter Bruegel

Stort alplandskap

Etsning och kopparstick, omkr 1558–59
36,8 × 47
Utg: H Cock

80

Jan eller Lucas van Duetecum
efter Pieter Bruegel

*Prospectus Tyburtinus
(Vy av Tivoli)*

Etsning och kopparstick, omkr 1552–56
32,2 × 42,7
Utg: H Cock

81

Jan eller Lucas van Duetecum
efter Pieter Bruegel

*Hieronymus in Deserto
(Hieronymus i öknen)*

Etsning och kopparstick, omkr 1552–56
32,2 × 42,2
Utg: H Cock

82

Jan eller Lucas van Duetecum
efter Pieter Bruegel

*Magdalena Poenitens
(Den botfärdiga Magdalena)*

Etsning och kopparstick, omkr 1552–56
32,2 × 42,2
Utg: H Cock

79

83

Jan eller Lucas van Duetecum
efter Pieter Bruegel

Insidiosus auceps
(Den illistiga fågelfängaren)

Etsning och kopparstick, omkr
1552–56   32 × 42,4
Utg: H Cock

84

Jan eller Lucas van Duetecum
efter Pieter Bruegel

Plaustrum Belgicum
(Den belgiska vagnen)

Etsning och kopparstick, omkr
1552–56   32 × 42,3
Utg: H Cock

85

Jan eller Lucas van Duetecum
efter Pieter Bruegel

Nundinae Rusticorum
(Lantlig marknad)

Etsning och kopparstick, omkr
1552–56
31,7 × 42,1
Utg: H Cock

86

Jan eller Lucas van Duetecum
efter Pieter Bruegel

Fuga deiparae in Aegyptum
(Flykten till Egyptum)

Etsning och kopparstick, omkr
1552–56   31,5 × 42
Utg: H Cock

87

Jan eller Lucas van Duetecum
efter Pieter Bruegel

Pagus nemorosus
(Skogig trakt)

Etsning och kopparstick, omkr 1558
32 × 42,5
Utg: H Cock

88

Jan eller Lucas van Duetecum
efter Pieter Bruegel

Milites requiscentes
(Rastande soldater)

Etsning och kopparstick, omkr 1658
32 × 42,4
Utg: H Cock

Antiken och den italienska konsten
Den sena Antwerpen-grafiken

89

Dirck Volkhertsz Coornhert
efter Maerten van Heems-
kerck

Gården till Casa Sassi i Rom

Kopparstick, 1554 38 × 30

90

Jan eller Lucas Duetecum
efter Maerten van Heems-
kerck

*Tjurfäktning i en romersk amfi-
teater*

Etsning och kopparstick
33 × 42,7
Utg: H Cock

91

Jan eller Lucas van Duetecum
efter Hieronymus Cock (?)

Diocletianus' termer

Etsning och kopparstick, 1561
24,3 × 33,2
Utg: H Cock

92

Jan eller Lucas van Duetecum
efter Hieronymus Cock (?)

*Romersk trädgård med uppgräv-
da skulpturfragment*

Etsning och kopparstick, 1561
24 × 32,7
Utg: H Cock

93

Giorgio Ghisi
efter Rafael

Skolan i Athén
(efter en fresk i Vatikanen)

Kopparstick
52 × 81
Utg: H Cock

Såsom framgår av påskriften har mo-
tivet döpts om till "Paulus predikar i
Athén"

94

Lambert Suavius

Johannes och Petrus botar en lam

Kopparstick, 1553
30,5 × 42,5

95

Hans Collaert
efter Lambert Lombard

Kristus tvättar apostlarnas fötter

Kopparstick
35,7 × 56,8
Utg: H Cock

96

Philip Galle
efter Jan van der Straet

Grafikerns verkstad

Kopparstick
20 × 27,2
Utg: Ph Galle (Bild s. 43)

97

Cornelis Cort
efter Jan van der Straet

Konsterna

Kopparstick, 1578 43,5 × 29,7
Utg: L Vaccari

98

Cornelis Cort
efter Livio Agresti

Nattvarden

Kopparstick, 1578 56 × 35,5
Utg: P Palambi

99

Cornelis Cort
efter Tizian

Prometheus

Kopparstick, 1566 38,5 × 31,5

100

Cornelis Cort
efter Girolamo Muziano

Johannes döparen i ett landskap

Kopparstick, 1570-talet 54 × 38

101

Hieronymus Wierix

*Den heliga jungfrun på månskä-
ran, ammande Jesusbarnet*

Kopparstick
34 × 28,1 (beskuret)

101

102

Hieronymus Wierix

*Den heliga jungfruns sju glädje-
ämnen*

Kopparstick, 1581
25,7 × 20
Utg: H van Luyck

I de sju medaljongerna: Bebådelsen,
Maria och Elisabeths möte, Herdar-
nas tillbedjan, Kungarnas tillbedjan,
Kristus uppenbarar sig för sin mo-
der, Pingstundret, Marie himmels-
färd.

103

Hieronymus Wierix

Den heliga jungfruns sju sorger

Kopparstick, 1581
26 × 20,1
Utg: H van Luyck

I de sju medaljongerna: Omskärel-
sen, Flykten till Egypten, Jesus i
Templet, Korsbärandet, Korsfästel-
sen, Begråtandet, Gravläggningen.

104

Anton Wierix
efter Maerten de Vos

Flykten till Egypten

Kopparstick, 1584
27,5 × 20,3
Utg: J B Vrints

105

Hieronymus Wierix

Tillbedjan av Jesusbarnet
(8 blad)

Kopparstick
ca 10 × 6,5

1. Jesus omgiven av musicerande
   änglar
2. Jesus bland kyrkans lärde (påven,
   en kardinal, en biskop och tre je-
   suiter)
3. Jesus bland martyrerna
4. Jesus i de fem hjärtana
5. Trösten (Nedtill jesuitordens
   främste Ignazius av Loyola, Fran-
   çois Xavier, Stanislaus Kostka,
   Lodovico Gonzaga)
6. Extasen (Nedtill två jesuiter)
7. Jesu blod
8. Jesus mellan sina föräldrar.

106

Okänd gravör
efter Maerten van Heems-
kerck

*Circulus Vicissitudinis Rerum
Humanorum*
(Mänsklighetens onda cirkel)
(8 blad)

Kopparstick, 1564
22,3 × 29,4
Utg: H Cock

Sviten avbildar en serie ekipage med
allegoriska figurer som framföres i

Auriga MVNDI TEMPVS alites equos
NOCTEM et DIEM indefessus in gyrum rapit
FLAMMA, AVRA, TERRA, et AQVA sorores quatuor.

Totidem que fratres ZEPHYRVS, AQVILO, EVRVS, NOTVS
Quam mox leges in rebus humanis creant
Viciflitudinariam uertiginem.

106:1

den årligen återkommande processionen (ommegang) i Antwerpen
1561. Förlageteckningar till hela
serien i Köpenhamn, daterade
1562–64.

1. Världen
    Vagnen dras av en vit häst med
    solen, Dagen, och en svart med
    månen, Natten. Körsven är Tiden
    (med timglas och lie). På vagnen
    en roterande glob och de fyra elementen: Elden (med Jupiters
    blixt), Jorden (med ett berg),
    Vattnet (med skeppet) och Luften
    (med regnbågen). På globen återges det eviga kretsloppet – Överflöd, Högmod, Avund, Krig,
    Nöd, Ödmjukhet, Överflöd –
    som är föremål för de sju följande
    vagnarna.

2. Överflödet
    Överst tronar Överflödet, framför henne dottern Högmodet.
    Listigheten kör och hästarna heter Rov och Bedrägeri. Kring vagnen går bl a Procenteri, Tygellöshet och Förräderi.

3. Högmodet
    Högmodet i högsätet med dottern
    Avunden. Föraktet kör med hästarna Nyfikenhet och Halsstarrighet. Runtom går Olydnad,
    Skrytsamhet och Hån.

4. Avunden
    Avunden, som biter sitt eget hjärta, och dottern Kriget körs av Hatet, med Ryktesspridning och
    Förtal som dragare. De omges av
    Illvilja, Förvirring och Oro.

5. Kriget
    Kriget körs av Raseriet med hästarna Plundring och Ödeläggelse.
    Runt om ses Svält, Hädelse och
    Gräl. Efter följer Grymheten.

6. Nöden
    Nöden och dottern Ödmjukheten
    åker på vagnen. Overksamheten
    är körsven och dragarna Svaghet
    och Sjukdom. Runt vagnen går
    Bräcklighet, Tålamod och
    Träldom.

7. Ödmjukheten
    sitter på vagnen med dottern Freden. Fruktan kör hästarna Måttfullhet och Saktmod. Kring vagnen går Hoppet, Barmhärtigheten
    och Tron.

8. Freden
    tronar med Överflödet. Kärleken
    är kusk och hästarna Endräkt och
    Nytta. Sanning, Flit och Rättvisa
    följer.

KABINETT D:
Manierism och realism i Prag och Haarlem

107
Aegidius Sadeler
efter Pieter Stevens

Landskap med sumpmark

Etsning
16,3 × 25

108
Aegidius Sadeler
efter Pieter Stevens

Landskap med stockbro

Etsning
17,3 × 25,7

109
Aegidius Sadeler
efter Roelant Savery

Klippigt kustlandskap

Etsning
19,1 × 26,5

Förlagan till denna etsning i Natio-
nalmuseum (Katnr 314. Se färgbild
mot sid 96)

110
Jan Sadeler
efter Friedrick Sustris

*Den heliga familjen och byggan-
det av Michaelskyrkan i Mün-
chen*

Kopparstick
27,5 × 32,2

Sustris var både hovmålare och hov-
arkitekt i München.

111
Hendrick Goltzius
efter Cornelius van Haarlem

Tantalus' fall

Kopparstick, 1588
Diam 33,4

112
Hendrick Goltzius
efter Cornelius van Haarlem

Ikaros' fall

Kopparstick
Diam 33,3

113
Hendrick Goltzius
efter Cornelius van Haarlem

Phaetons fall

Kopparstick
Diam 33,2

114
Hendrick Goltzius
efter Cornelis van Haarlem

Ixions fall

Kopparstick
Diam 33,2

115
Hendrick Goltzius

Apollo di Belvedere

Kopparstick
41,5 × 30
Utg efter Goltzius' död

116
Hendrick Goltzius

Herkules Farnese

Kopparstick 41,5 × 30
Utg efter Goltzius' död

Utfört kort efter Italien-resan.
Skulpturen hittades på 1540-talet i
Rom och försågs då med huvud och
ben.

117
Hendrick Goltzius

Apollo som solgud

Kopparstick, 1588
Oval, 35 × 26,2

118
Aegidius Sadeler
efter Hans van Aachen

Porträtt av Rudolf II

Kopparstick, 1603 34 × 25

119
Aegidius Sadeler
efter Bartholomeus Spranger

*Porträtt av Spranger och hans
avlidna hustru*

Kopparstick, 1600 29 × 41,5

Porträttet av den döda vilar på en
sarkofag som omges av Tron och
Visheten. Till vänster måttar Döden
med en pil mot Sprangers hjärta och
Tiden håller fram timglaset medan
Konsterna kommer till undsättning
och Ryktet förkunnar evigt liv.

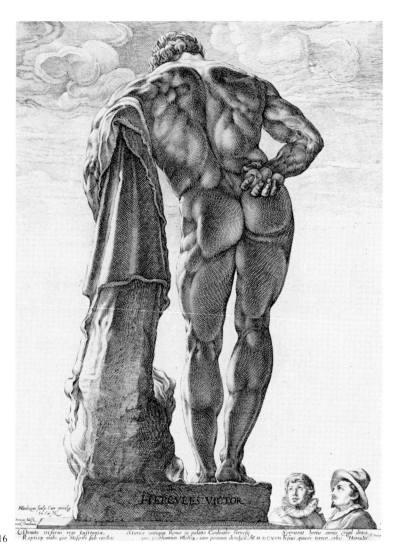

116

120

Aegidius Sadeler
efter Bartholomeus Spranger

Wladislaw-salen i borgen i Prag

Etsning och kopparstick, 1607
57,5 × 62

Längst till vänster ser man ett stånd
för försäljning av grafik.

121

Aegidius Sadeler
efter Bartholomeus Spranger

*Visheten (Minerva) besegrar
okunnigheten*

Kopparstick
50 × 36

122

Aegidius Sadeler
efter Hans van Aachen

*Minerva introducerar Måleriet
bland de fria konsterna*

Kopparstick
50,3 × 39

123

Jan Muller
efter Bartholomeus Spranger

*Utan Ceres och Bacchus fryser
Venus*

Kopparstick
53,5 × 34,5

Vardag och marknad

Under medeltiden hade bilder å ena sidan fungerat som de fattigas bibel, å andra sidan varit kultbilder. Detta traditionella bruk av bilder kom att ifrågasättas i och med reformationen. De reformerta såg bruket av religiösa bilder som avgudadyrkan. Tidens lärde och tänkare debatterade kyrkans behov av bilder, framförallt Erasmus av Rotterdam som i "Dårskapens lov och beröm" levererade en bitande satir över avgudakulten. Diskussionerna kulminerade i den stora bildstormen som 1566 svepte genom Nederländerna. Ett otal målningar och skulpturer förstördes. Bakom dessa dåd låg den kalvinistiska församlingen.

Ungefär vid denna tidpunkt framträder Pieter Aertsen och Joachim Bueckelaer med en ny och på sitt sätt revolutionär bildkonst. Deras verk är förstadier till det populära måleri som kom att blomstra i 1600-talets kalvinistiska Holland. De är 50 år före med att spegla Calvins idéer om en konst som återger den synliga världen och som skildrar ting, landskap och människor.

I Aertsens och Bueckelaers konst får vardagsmotiven ett egenvärde. En slaktarbutik, ett fiskstånd eller ett kök med pigor skildras i samma monumentala format som tidigare endast använts till religiösa och mytologiska ämnen. Gemensamt för de flesta av Aertsens och Bueckelaers målningar är att de storfiguriga vardagsmotiven ställs mot en småfigurig religiös scen. De små bibliska scenerna döljer sig så diskret i bakgrunden, att man frestas tro att de är ditsatta som alibi för det intresse som konstnären har ägnat saftiga stekar, skimrande fiskkroppar och färgglada grönsaker. Denna säregna kombination av folkliga och religiösa motiv har blivit föremål för många lärda tolkningar. Man har framförallt gjort gällande att målningarna skall ses som allegorier, där det religiösa motivet är en moraliserande kommentar till förgrundens materiella överflöd.

I *Slaktarbutiken* från 1551, Pieter Aertsens tidigaste kända bild, syns en liten scen med Flykten till Egypten i bakgrunden. I förgrunden dominerar alla sorters köttvaror. Ett stort oxhuvud med ett stirrande öga har en central plats. Ovanför syns en tallrik med två korslagda fiskar. En skylt till höger har en text på holländska som översatt lyder: "Här bakom är tomt att köpa omedelbart, antingen efter mått som var och en önskar eller allt på en gång, nämligen 154 roeden."

På var sin sida om Flykten till Egypten syns små bildscener. Till höger böjer sig en man över en brunn och till vänster skymtar ett landskap med ett kyrktorn. Mittscenens motiv är omgivet av detaljer som förstärker dess betydelse. De korslagda fiskarna är en klar kristen symbol, som korresponderar med ett par korsade träd i bakgrunden. Jungfru Maria ger ett

125

Pieter Aertsen

Slaktarbutiken

Daterad: 1551, 10 Martius
Olja på trä
124 × 169
Uppsala universitets konstsamling.
L 1

Pieter Aertsen

Kökspiga

Olja på trä
110 × 80
Nationalmuseum, NM 5693

127

Pieter Aertsen

Köksscen

Signerad med en treudd (konstnä-
rens märke) och daterad 1562
Olja på trä
85 × 128
Nationalmuseum, NM 325

128

Pieter Aertsen

Frukt- och grönsakshandel

Daterad 1562 (eller 1569)
Olja på trä
83 × 169
Hallwylska museet, B 20

stycke bröd till en liten gosse – en symbol för nattvardsund-
rets ord "Jag är livets bröd" (Johannes 6:48). Mot den timliga
födan har konstnären således satt den andliga spisen.

Det har antagits att beställarna till målningen var slaktargil-
let i Antwerpen. Gillet ägde en stor och imponerande bygg-
nad som syns på de flesta gamla stick över Antwerpen. Nedre
planet inrymde butiker och på övervåningen höll man sina
möten. Kanske var målningen avsedd att hänga i en mötes-
lokal.

Samma motsättning mellan det andliga och det materiella
kommer till uttryck i två andra målningar av Pieter Aertsen.
Den ena är *Kökspigan* där stillebenet i förgrunden ställs mot

Måltiden i Emmaus. I Lukasevangeliet berättas det att Jesus efter uppståndelsen vandrade till Emmaus med två av sina lärjungar. De kände igen sin Herre först då han under måltiden bröt deras bröd. De lät maten bli stående och begav sig omedelbart till Jerusalem för att förkunna hans återuppståndelse. Denna episod ställs som antites mot förgrundens feta kök.

Ett annat exempel är *Kristus och äktenskapsbryterskan*. I förgrunden har bondfolk dukat upp sina marknadsvaror, medan bakgrundsscenen visar Kristus som böjer sig ned och på marken framför synderskan skriver: "Den av Eder som är utan synd, han må kasta den första stenen." (Johannes 18:7). Bildens text är på hebreiska.

Målningen har tolkats på olika sätt. Några forskare har läst in erotisk symbolik i förgrundens matvaror – en anspelning på kvinnans synd. Ett exempel är den svarta tuppen som mannen

129

Pieter Aertsen

Kristus och äktenskapsbryterskan

ca 1561
Olja på trä
122 × 180
Nationalmuseum, NM 2106

till höger håller fram. Man kan hänvisa till det holländska ordet "vogelen" som användes med de dubbla betydelserna jaga fågel och ha samlag. Mannen håller också en korg med ägg i handen. Av vissa nederländska 1500-talstexter framgår det att ägg nyttjades såsom afrodisiaka. Också vissa grönsaker såsom lök och morötter ansågs höja den sexuella potensen. Kålhuvudet, som var en feminin sexualsymbol, förekommer ofta i Aertsens och Bueckelaers målningar. Här syns också ett fat med våfflor och valnötter. Valnötterna kallades i samtida symbollitteratur "Glans Iouvis", dvs Jupiters testiklar.

Sena målningar av Pieter Aertsen saknar helt det religiösa inslaget. *Två kökspigor* i Nationalmuseum och *Frukt och grönsakshandel* i Hallwylska museet är renodlat genremässiga i sin frodiga presentation av mat och frukter.

Pieter Aertsens elev och släkting Joachim Bueckelaer övertog den äldre mästarens motivkrets. Han tycks lägga ännu större vikt vid det vardagliga som i *Kristus i Martas och Marias hus*. Bordet i förgrunden, överlastat med mat, har setts

130

Joachim Bueckelaer

Köksscen med Jesus i Martas och Marias hus

Signerad med monogram och daterad 1565
Olja på trä
130 × 201
Nationalmuseum, NM 323

59

Joachim Bueckelaer

Marknadsscen med Jesus som visas för folket

Signerad och daterad 1565
Olja på trä
146 × 148
Nationalmuseum, NM 322

som ett naturligt attribut till Marta, den av systrarna som ansågs stå för det jordiska. Maria som representerar de andliga värdena syns i bakgrunden sittande vid Jesu fötter. Kökspigorna som hanterar kött och fågel har uppfattats som personifikationer av köttets lusta; en fågel uppträdd på ett spett utnyttjades ofta som sexuell symbol i samtida nederländsk konst. Bruegel använde symbolen i en teckning *Luxuaria*, Överflödet. Man har också tolkat bilden som en framställning av de fyra elementen. Fläskstycket och de döda djuren representerar då jorden, kaninen elden, fiskarna och vattenkärlet vattnet och fåglarna luften.

Bueckelaers favoritämne, som han upprepade åtminstone sju gånger under åren 1561–1570 var *Marknadsscen med Jesus som visas för folket*. Tre av dessa målningar finns i Nationalmuseum. Ett utmärkande drag är renässansarkitekturen i bakgrunden. Keith Moxey har i sina studier över Aertsen och Bueckelaer påpekat att de lånade sina arkitekturmotiv från

133 ⟶

Joachim Bueckelaer

Fiskmarknad med Jesus som visas för folket

Signerad och daterad 1570
Olja på trä
151 × 202
Nationalmuseum, NM 324

132

Joachim Bueckelaer

Marknadsscen med Jesus som visas för folket, gisslas och bär sitt kors

Daterad 1561
Olja på trä
123 × 165
Nationalmuseum, NM 321

135

134

Joachim Bueckelaer

Kristi korsbärande

Signerad och daterad 1563, febr 18
Olja på trä
143 × 136
Älvkarleby kyrka

den italienske arkitekten Sebastiano Serlio. Kombinationen av
marknad i förgrunden och Kristi lidande i bakgrunden kan
tolkas som en uppmaning åt betraktaren: Följ Kristi exempel
och avstå från köttets frestelser!

Bland de fem målningar av Joachim Bueckelaer som kom
till Sverige med Prag-rovet hör *Kristi korsbärande* i Älvkar-
leby kyrka till de tidigast daterade. Målningen är sannolikt
beställd av en kyrka såsom altarmålning. Det religiösa motivet
är därför huvudsaken, men man kan notera att det finns
många genremässiga inslag i förgrunden, motiv hämtade från
marknaden. Grönsaksförsäljerskan till vänster påminner
osökt om *Flicka med grönsaker* i Göteborgs Konstmuseum.
Ett *Studiehuvud* till någon av Bueckelaers otaliga köks- och
marknadskvinnor finns i Linköpings museum. I Aertsens och
Bueckelaers konst är det ej människorna utan tingen som
dominerar. Deras motivkrets uttrycker det feodala och hög-
borgerliga samhällets estetiska ideal. Modellerna är visserligen

135

Joachim Bueckelaer

Flicka med grönsaker

Signerad och daterad 1566
Olja på trä
113 × 81
Göteborgs Konstmuseum, 1004

136

Joachim Bueckelaer

Studiehuvud

Olja på trä
Östergötlands museum, Linköping,
B 133

137

Pieter Bruegel d ä

Överfallet

Signerad och daterad 1567 (?)
Olja på trä
96 × 128
Stockholms Universitets konst-
samling, 17

bondfolk – men bönder som kom till städerna för att sälja sina produkter till den rika överklassen. Själva levde de ingalunda i ett sådant överflöd.

Bönderna och deras seder och bruk skildras mer genuint i Pieter Bruegels måleri. Med honom upphöjs bondegenren till ett betydande motiv i konsten. Hans tidiga verk består mest av landskapsstudier och grafiska blad. Omkring år 1563 började han måla en serie storfiguriga målningar med ett dramatiskt eller berättande innehåll. Mest kända är *Bonddansen* och *Bondbröllopet*.

Överfallet i Stockholms universitets samling hör till denna motivkrets. Handlingen är onekligen dramatisk. Scenen är en övergiven hed, där tre beväpnade stråtrövare kastar sig över

138

Hendrick van Cleve

Babels torn

Olja på trä
53 × 75
Stockholms Universitets konst-
samling, 124

139

Maerten van Cleve

Det betlehemitiska barnamordet

Olja på trä
76 × 108
Stockholms Universitets konst-
samling, 18. Se ill s 10!

en bonde och hans fru. Målningen gällde länge för att vara av
Pieter d y, eftersom hans namn fanns på målningen. Vid en
renovering framträdde emellertid Pieter Bruegel d ä:s signatur
och ett årtal som skulle kunna vara 1567.

Samtida med Pieter Bruegel d ä var Hendrick van Cleve och
Maerten van Cleve. Båda influerades av Bruegels stil. *Babels
torn* av Hendrick van Cleve påminner om Bruegels målningar
på samma tema, och *Det betlehemitiska barnamordet* av
Maerten van Cleve liknar målningar av Bruegel i Wien och
Hampton Court.

De flesta av Pieter Bruegels målningar känner vi genom
sonens kopior. Han förestod en mycket produktiv ateljé med
många medarbetare, vilket kan förklara den växlande kvalite-

ten på dessa arbeten. *Vinterlandskap med skridskoåkare och fågelfällor* som hör till Pieter Bruegels mest populära målningar har kopierats av sonen och hans medarbetare ett flertal gånger, en version finns i Nationalmuseum. Det stora intresset för denna målning hade säkerligen sin grund i att landskapet är skildrat på ett nytt sätt. I stället för den gängse uppdelningen i flera skikt har Bruegel åstadkommit en atmosfärisk och enhetlig vy. Utsikten är inte komponerad utan verklig – motivet är hämtat från den lilla byn Pede-Ste Anne i Brabant. Såsom i många Bruegelmålningar kan man tolka in en moraliserande innebörd i motivet. Fåglarna i bildens högra parti verkar lika obekymrade om den fara som lurar på dem som de skridskoåkande barnen. När som helst kan fågelfällan slå igen eller isen brista. Alla liv är hotade, ingenting är beständigt förutom naturen.

140

Pieter Bruegel d y

Vinterlandskap med skridsko-åkare och fågelfälla

Kopia efter Pieter Bruegel d ä
Olja på trä
39 × 57
Nationalmuseum, NM 4057

141

Pieter Bruegel d y

Bondbröllop

Kopia efter Pieter Bruegel d ä
Olja på trä
72 × 104
Nationalmuseum, NM 2020

Bondbröllop i Nationalmuseum är en kopia efter en förlorad målning av Pieter Bruegel d ä. Man kan urskilja tre delar i motivet – dansen i förgrunden, bruden som mottager presenter i mellanplanet och andra episoder i bakgrunden. Vi vet att Bruegels målningar ofta har en allegorisk mening. De kan skildra mänskliga dygder och laster eller vara illustrationer till gamla nederländska ordspråk och talesätt. Bondedansen har ibland, genom att brudgummen saknas, setts som en kommentar till uttrycket: "Den man är fattig som ej har råd att vara med på sitt eget bröllop." Den har också tolkats som en kommentar till kyrkans förlorade makt – den världsliga bruden utan brudgum. Rent motiviskt är det emellertid en autentisk nederländsk bröllopsscen som skildras.

Pieter Bruegel d y inskränkte sig emellertid inte till att

142

Pieter Bruegel d y
Bondbröllop

Signerad
Olja på trä
43 × 68
Hallwylska museet, B 107

143

Pieter Bruegel d y

Folkliv på en bygata

Signerad
Olja på trä
52,5 × 71
Hallwylska museet, B 113

144

Pieter Bruegel d y

Hösten

Signerad
Olja på trä
44 × 59
Hallwylska museet, B 178

reproducera faderns mästerverk. En ansenlig del av hans pro-
duktion var egna kompositioner i faderns anda såsom *Bond-
bröllop* och *Folkliv på en bygata* i Hallwylska museet. Där
finns också *Hösten*, som skildrar vinskörd och slakt i en by,
målad efter en gravyr som i sin tur är gjord efter en teckning
av Hans Bol. År 1570, ett år efter Pieter Bruegel d ä:s död,
publicerade Hieronymus Cock en serie på fyra gravyrer före-

145

Lucas van Valckenborch och
Georg Flegel

Våren

Del av årstidsserie. Daterad 1595
Olja på duk
123 × 186,5
Privat ägo

146

Lucas van Valckenborch och
Georg Flegel

Vintern

Del av årstidsserie. Daterad 1595
Olja på duk
121,5 × 191
Privat ägo
Färgbild, detalj, se katalogens om-
slag!

ställande årstiderna. Bruegel som fått beställning på förla-
gorna hade bara hunnit leverera två, Våren och Sommaren.
Bol fick i uppdrag att slutföra serien. Dessa teckningar är ej
bevarade.

Motivsviter som Årstiderna, Elementen, Temperamenten,
De fem sinnena, Livsåldrarna och Världsåldrarna blir mycket
populära i konsten mot århundradets slut. Dessa sviter speglar
framförallt en humanistisk natursymbolik. På 1590-talet
målar Lucas van Valckenborch, som då är bosatt i Frankfurt,
en serie årstidsbilder som på en gång är marknadsbilder. Han
fullföljer därvid en nederländsk tradition i Bruegels anda.
Bilderna inbegriper sådana sysslor som hör årstiden eller
månaden till – trädgårdsplantering på våren, vinskörd på hös-
ten osv. På samma sätt som Pieter Aertsen sammansmälter
han motiv som landskap, stilleben och genre till en enhet. I
samarbete med den mycket yngre stillebenmålaren Georg
Flegel som också var verksam i Frankfurt målade Valcken-
borch *Vintern* och *Våren*, två återstående delar i en årstidsse-
rie. Det finns fem liknande bilder bevarade i olika samlingar.

I *Våren* bildar ett landskap med en vy över Antwerpen
bakgrund till ett stilleben med blommor och växter. En bor-
garfru och hennes tjänarinna är sysselsatta med att samla och
destillera blommor och örter. På husets arkitrav syns årsti-
dens tre stjärntecken: Väduren, Stenbocken och Tvillingarna.

147

Lucas van Valckenborch och
Georg Flegel

Dubbelporträtt av äldre par

Olja på duk
131 × 182
Privat ägo

Vintern visar en fiskmarknad i förgrunden och i bakgrunden
ett vintrigt landskap med slädfärd och snöfall.

Bröderna Martin och Lucas van Valckenborch hade som en
följd av bildstormen lämnat Mechelen där de blivit mästare i
gillet. Lucas levde ett kringflackande liv. Han dök upp i
Aachen en tid och var hovmålare hos ärkehertig Matthias i
Bryssel och följde sedan hertigen till Linz år 1593. Till slut
hamnade han i Frankfurt som blivit något av en fristad för de
reformerta flyktingarna. Här upplevde också det gammalne-
derländska måleriet sin sista blomstring.

Ett dubbelporträtt av ett äldre par är sannolikt Lucas van
Valckenborchs sista verk. Det är en mästerlig kombination
av porträttmåleri, genre och stilleben. Också i detta fall har

Valckenborch haft hjälp av Georg Flegel. Paret, som kan vara konstnären själv och hans hustru, sitter i ett rum som öppnar sig mot en stadsutsikt. Framför dem syns ett rikt dukat bord. Mannen håller en remmare i handen, men en gravyr av målningen visar att han ursprungligen höll en vas med blommor. På en fontän mitt på torget i bakgrunden står en polykrom mansstaty som tycks vara gjord av vax. Figuren håller en öppen bok i handen ur vilken det sprutar vatten. Målningen med alla sina detaljer har en så påfallande karaktär och atmosfär, att en betraktare måste fråga sig om det finns någon symbolisk innebörd, säger Ingvar Bergström.

Födan på bordet och den numera försvunna blomsterbuketten kan tolkas som förgängelsesymboler. Fontänfiguren har visat sig vara ett porträtt av Martin Luther, som likt en Kristusfigur står mitt i livets brunn. Vattnet som sprutar fram ur boken är en sinnebild för den visdom man erfar genom att läsa hans texter. Porträttet är således en åldrande mästares bekännelse till den protestantiska läran och vittnar dessutom om en förtröstan på livet efter detta.

GÖREL CAVALLI-BJÖRKMAN

Porträtt

150

Antonis Mor

Porträtt av spansk ädling

Olja på trä
108 × 78
NM 3233

Under 1400-talet blev porträttmåleri en självständig genre. De flesta italienska och nederländska konstnärer avbildade sina mecenater och klienter på altartavlornas sidostycken eller på fristående pannåer. Under 1500-talet kom många konstnärer att specialisera sig på porträttmåleri. Porträttkonsten utvecklades framför allt vid hoven, och många hovmålare var nederländare. Hos hertig Filip i Burgund verkade Jan Gossaert, vid det franska hovet Joos van Cleve och i Bryssel Bernard van Orley. Nederländarna hade mycket att lära ut i avseende på realistisk människoåtergivning. Framför allt märktes deras inflytande i den samtida italienska porträttkonsten.

Den utan jämförelse mest betydande bland de nederländska porträttmålarna var Antonis Mor, vars inflytande var stort i hela Europa vid århundradets mitt. Han var verksam i Utrecht, Antwerpen, Bryssel, Rom, London, Madrid och Lissabon. Den porträttstil han utvecklade bär drag av läraren Jan van Scorels dekorativa detaljer och psykologiserande blick och av Tizians färgton.

Hans modeller var huvudsakligen präster och adelsmän. Deras allvarliga och representativa framtoning stämde väl med den spanskorienterade anda som rådde vid hoven i stora delar av Europa under den tid då habsburgarna stod på höjden av sin makt. *Porträtt av spansk ädling* har alla de karakteristiska drag som utmärker ett Mor-porträtt – detaljrikedom i skildringen av klädedräktens spetsar och knappar samt ett långsmalt ansikte med en intensiv blick. Ändå är det tveksamt om porträttet är ett original av Mor. Han hade ett otal både namngivna och anonyma efterföljare. Ett kännetecken för mästarens egenhändiga verk brukar vara graden av psykologisk inlevelse. Mor var mycket angelägen om att återge den avbildades unika personlighet. En hovporträttör, vars uppgift är att framhäva sina modellers status och sociala rang, löper

ofta risken att glömma bort individen. Det är påtagligt när man betraktar de många porträtten av Mor-epigoner vid Europas hov. Ett exempel är ett trekvartsporträtt av *Erik XIV* från 1561, möjligen utfört av Domenicus Verwilt som var svensk hovmålare 1556–66. En liten bröstbild tillskriven samme konstnär är mer pregnant i personkarakteristiken.

Ett porträtt av *Johannes Mellinchus* i Nationalmuseum skall enligt en gammal text på baksidan vara utfört av Mor. Den elegant dekorativa stilen påminner dock mer om läraren Jan van Scorels. Den avbildades nationalitet – han var en reformationsvänlig tysk humanist, dekan vid Johannesstiftet i Osnabrück – kan också leda tankarna till tysk konst. Överensstämmelsen mellan den Holbein-inspirerade porträttkonsten och den nederländska är mycket stor. De starkt realistiska och individualiserande dragen är gemensamma. Porträttet bör vara utfört före 1535, som var Mellinchus' dödsår. Pekfingerringen som han så tydligt håller fram var sannolikt ett tecken på dekanvärdigheten. Att han var lärd humanist reflekteras i

151

Dominicus Verwilt, tillskriven

Erik XIV

Olja på trä
98 × 69
NM 1410

152

Dominicus Verwilt, tillskriven

Erik XIV

Olja på trä
41 × 32
NM 910

Okänd nederländsk konstnär

Johannes Mellinchus

Olja på trä
60 × 43
NM 1371

landskapet som är av antik typ med obelisker, vilkas hierogly-
fer ansågs gömma hemligheten om en ursprunglig gudomlig
uppenbarelse. De användes ofta i renässanskonsten för att
förhöja innebörden av ett konstverk. Vid sidan av den antika
tankevärlden framhålls i detta porträtt också den kristna
genom ett kors uppe på kullen.

   Mor-influerad i sin porträttkonst var Nicholas Neuchâtel,
en av de nederländare som flydde fäderneslandet på grund av
sin reformerta tro. Han slog sig ned i Nürnberg men var också
verksam i Prag. Ett *Porträtt av en bildhuggare* i Nationalmu-

154

Nicholas de Neuchâtel

Porträtt av en bildhuggare

Olja på trä
73 × 59
NM 39
Bild sid 24

seum kom sannolikt med konstskatterna från Prag. Det är okänt vem skulptören är. Möjligen kan det vara ett porträtt av skulptören Johann Gregor van der Schardt som 1570–71 var verksam för Kejsar Maximilian II. Hans attribut är ett antikt huvud och ett passmått.

För Maerten van Heemskerck, verksam i Utrecht och Haarlem var porträttmåleriet en bisak. Porträttet av en *Okänd man* i Linköpings museum är typiskt för hans energiska och kantiga porträttstil. I vårt land har van Heemskerck blivit känd genom den stora altartavlan i Linköpings domkyrka. Den utfördes 1538–42 för Laurentiuskyrkan i Alkmaar, men förvärvades 1581 av Johan III som förde den till Sverige.

Linköpingsaltaret är en triptyk med korsfästelsen och korsbärandet i mitten. Överst på ena sidoflygeln framställs Ecce Homo – den scen där Pontius Pilatus visar upp Kristus för folkhopen. Bland åskådarna syns Nicodemus som deltog i beslutet om Kristi avrättande. Det märkliga är att han helt tydligt bär Martin Luthers drag. Konstnären har därigenom markerat sin ställning i den religiösa konflikt som skakade Nederländerna. Med porträttet av Luther bland dem som krävde Kristi död ville han markera sin avsky för reformationen. En motsatt inställning hade, som vi minns, Lucas van Valckenborch som med sitt Lutherporträtt hyllade predikaren av Guds ord.

GÖREL CAVALLI-BJÖRKMAN

Linköpingsaltarets Ecce Homo-scen, där Nicodemus fått Luthers drag.

155

Maerten van Hemskerck

Porträtt av en man

Olja på trä
51 × 38
Linköpings museum
LM 2696

Samhällskritik, religion och myt

Många nederländska konstnärer besökte Italien under sin studietid och tog där starka intryck av de italienska renässansmästarnas konst. Omkring 1540 började framförallt intryck av den romerska konsten tränga igenom i måleriet. I flera verk kan man spåra drag av Michelangelos plastiska människogestaltning och figurrika kompositioner. Också florentinska och venetianska konstnärers verk studerades flitigt framförallt genom grafiken. Resultatet av detta möte mellan det italienska renässansmåleriet och ett traditionellt nederländskt måleri blev en högst egenartad konst, där den nordiska andans mer realistiska och personliga drag slog igenom.

Ibland kunde stilsammansmältningen ge upphov till en kyligt ”manierad” stil som i Jan Massys' *Venus Cythereia*. Miljön är hämtad från den italienska hamnstaden Genua. Den nakna kvinnogestalten ligger utsträckt på en terrass till en byggnad som har identifierats som Palazzo Doria. Arkitekturen är klassicerande, medan landskapsutblicken är målad med luftperspektiv enligt gammal nederländsk modell. Massys kan ha haft en gravyr av Genua som förlaga till sin skildring av hamninloppet, men det är också tänkbart att han själv varit på platsen. Mellan 1544, då han bannlystes för kätteri och 1558, när han återvände till Antwerpen, levde konstnären i landsflykt. Ingen vet var han tillbringade dessa år, men man kan förmoda att han besökte såväl Italien som Frankrike. Skildringen av kvinnogestalten ger associationer till den kyligt raffinerade stil som blomstrade vid Frans I:s hov i Fontainebleau.

Motivet har en symbolisk karaktär. Kvinnan har tolkats omväxlande som Flora och Venus. Blomsterbuketten och den omgivande trädgården skulle kunna tyda på att kvinnan är Flora Primavera – en allegori över våren. I ett inventarium från 1635 kallas målningen Flora, men Karl-Erik Steneberg har påpekat att blommorna bör ses som ett attribut till kär-

leksgudinnan. Rosen var Venus' egen blomma och nejlikan ansågs ha kärleksstimulerande egenskaper. Förebilden till framställningen av Venus i trädgården finns i den symbolfyllda venetianska kärleksromanen, som kom på modet framförallt vid det franska hovet vid 1500-talets mitt. Man kan t ex hos Francesco Colonna finna beskrivningar av Venustemplet och den luxuösa trädgårdsmiljön på det havsomflutna Cythere, där Venus badar i en bassäng av kostbara stenar. Påfågeln kan ses som en symbol för prål och lyx, kanske ett förmanande inslag mitt i all skönhetsdyrkan.

158

Jan Massys
Venus Cythereia
Olja på trä
130 × 156
NM 507

Det fanns gott om moraliska pekpinnar i den samtida
nederländska konsten. Konsten reflekterade ofta de ledande
humanisternas samhällssyn. *Det omaka paret* var ett motiv
som Jan Massys ärvt efter sin far Quentin Massys. Denne
hade i sin tur inspirerats av tysk konst, där det först förekom-
mer. Det handlar om den gamle mannens lust efter ungdom
och skönhet och den unga flickans snikenhet efter pengar.
Detaljerna är signifikativa. De två äldre kvinnorna är de kopp-
lerskor som sammanfört paret. Apan – en symbol för lasten –
stjäl ett äpple, som i detta sammanhang måste uppfattas som
en ytterst komprotterande frukt. På bordet syns en skål med
pengar och till vänster en papegoja – vanligen ett attribut till
Merkurius, handelns och tjuvarnas gud.

En varning mot ett dylikt lastbart liv kan man ana också i
Glatt sällskap av samme konstnär. I ett värdshus ses en vär-
dinna med en grotesk uppsyn, ett kärlekspar, musikanter och
kurtisaner. Kurtisanernas attribut är sådana som förknippas
med Venus – pärlor, snäckor och ett päron.

Hos såväl Quinten Massys som Jan Massys och Jan Hem-
mesen förekommer motiv som skvallrar om det ekonomiska
välståndets avigsidor. Den blomstrande handeln i Antwerpen
drog till sig kolonier av utländska köpmän, där fanns en stor
grupp italienare främst från Lombardiet och många tyskar.
Bland dessa frodades även ockrare och pantlånare. Deras offer
blev ofta folk ur de lägre samhällsklasserna, människor som
hade svårt att komma på fötter när de en gång blivit skuld-
satta. Det finns ett samtida nederländskt ordspråk som uttryc-
ker folkets avsky för dessa korrupta affärsmän som levde på

159

Jan Massys

Det omaka paret

Olja på trä
97 × 134
NM 508

160

Jan Massys

Glatt sällskap

Olja på trä
91 × 128
NM 2661

Jan Massys, tillskriven
Uppbördsmannen
Olja på duk
70 × 106
NM 505

folks olycka: "En ockrare, en mjölnare, en växlare och en
tullare är djävulens fyra evangelister".

I *Uppbördsmannen*, tillskriven Jan Massys, syns en fattig
bondfamilj som kommer till ett kontor för att betala sin skatt.
Texten i den uppslagna boken på bordet är oläsbar, men
sannolikt rör det sig om en skattelängd. Uppbördsmannens
hustru tycks ha fattat medlidande med bondfamiljen. Hon
skänker det lilla barnet en frukt.

De kristna humanisterna, särskilt Erasmus av Rotterdam,
hade en mycket hård och asketisk syn på bankirer och växlare.
"Det är mot naturen att pengar föder pengar", sa han. Många
gånger kan man bakom Quinten Massys' och Jan Massys'
naturalistiska och karikatyrmässiga porträtt av pantlånare och
växlare ana Cosimo de Medicis eller den sydtyske bankiren
Jakob Fuggers anletsdrag. De fick representera den ekono-
miska makten, motsvarigheter till vår tids Rothschild och Roc-
kefeller. Konstnärerna försökte dock maskera en alltför stor
porträttlikhet genom att klä sina modeller i det föregående
seklets klädedräkt.

Samtida med Jan Massys var Marinus van Reymerswaele.
Hans val av ämnen torde också ha uppskattats av de kristna
humanisterna. I en serie målningar har han återgivit *Den
helige Hieronymus* mediterande över de yttersta dagarna.
Hieronymus var humanisternas favorithelgon. Hans bibel-
översättningar från grekiska och hebreiska till latin blev en

162

Marinus van Reymerswaele

Den helige Hieronymus

Olja på trä
101 × 129
NM 506

modell för de kristna teologerna. Hans mest inflytelserika
förespråkare Erasmus gav ut det första samlade verket över
Hieronymus' skrifter. Vid sidan av sin roll som lärd inspiratör
blev Hieronymus genom sina år som eremit i öknen en före-
bild för alla asketer.

Under reformationen blev emellertid framställningar av
Hieronymus i studerkammaren vanligare än eremitbilderna.
Såväl Dürer som Quentin Massys var föregångare till Rey-
merswaele när det gällde att introducera motivet i konsten.
Hieronymus är vanligen omgiven av en rad vanitas-symboler,
framför allt en dödskalle. På väggen hänger kardinalshatten
och på bordet framför honom ligger en uppslagen handskrift
med en illuminerad bild av Den yttersta domen. Texten som
har rubriken Matteus 25 är på latin och återger den 31 versen i
samma kapitel som handlar om människosonens ankomst.
Reymerswaele har lagt ned en stor emfas i sin skildring.
Kardinalens grimaserande ansikte tycks vara ett samlat
uttryck för den själsångest som kunde gripa människorna i en
tid av religiös splittring. Själv blev Reymerswaele bannlyst för
sin religiösa tro. Han hörde till dem som aktivt deltog i
bildstormen.

Inställningen till bilder var sannerligen dubbel. Det kan inte ha varit lätt för konstnärerna att veta hur de skulle förhålla sig. Framför allt var det religiösa bilder som angreps. Man kan förvånas över de protestantiska teologernas iver att fördöma bilder med Kristus och helgonens nakna kroppar samtidigt som man accepterade att folk hängde Massys' nakna Flora eller Cranachs Lucretia på väggarna. Huvudavsikten från protestantiskt håll tycks dock ha varit att begränsa och omdefiniera kyrkans behov av bilder. Katolikerna å sin sida slog vakt om alla religiösa bilder, samtidigt som de kämpade mot konstnärernas försök att smyga in kätterska budskap i dem. En följd av stridigheterna blev dock att gränsen mellan religiösa ämnen och genre upplöstes alltmer.

Inom ramen för ett religiöst motiv kunde konstnärerna hänge sig åt naturalistiska studier av människokroppar eller vardagliga miljöstudier. Jan van Hemessen återger i *Isak välsignar Jakob* en framdukad måltid som har en tydlig realistisk karaktär. Här finns också italienska drag. Isaks muskulösa och monumentala gestalt visar inflytande från Michelangelos måleri. Motivet är emellertid presenterat på ett nytt och djärvt sätt. Här finns ingenting av den italienska renässansens harmoni. Bilden har karaktär av ett tillfälligt utsnitt ur verkligheten. Kropparna är grova och påträngande och ansiktena är sedda snett underifrån. Motivet förekommer redan under tidig kristen tid i konsten; handlingen baserar sig på första Mosebokens 27:e kapitel. Rivaliteten mellan Jakob och Esau sågs som en symbol för konflikten mellan kyrkan och synagogan. Jakob, den nya tiden skänker den gamla tiden, representerad av den blinde Isak, ett nytt ljus.

Sedd mot bakgrund av den djupa religiösa krisen vid 1500-talets mitt får motivet emellertid en annan betydelse. Hemessen har poängterat Jakobs svek. Isaks kropp är vriden som i kramp, och hans uppsyn är ångestfylld och feberaktig. Den knäböjande Jakobs ansikte är grovt med ett mentalt efterblivet uttryck. Det svullna bandagerade benet antyder att han är ett offer för fallandesjuka. Rebecka är barfota och klädd i illasittande och trasiga kläder. Allt andas sjukdom och förfall, vilket i bibliska texter ofta var liktydigt med moraliskt förfall. Man talade om den "sjukdom" som försvagat kyrkan. Kanske kan man se Isak som en symbol för den korrupta prästerliga makten och skildringen av sveket som en maning till reform.

Katten som stjäl mat från bordet är vanligen en personifika-

163

Jan Sanders van Hemessen

Isak välsignar Jakob

Olja på trä
150 × 189
Österby bruks kyrka

tion av avunden och illviljan eller en ondskefull manipulation, medan hunden som vilar fridfullt under bordet representerar trofastheten – i detta fall mot det rena och sanna ordet.

Maria med barnet i ett landskap av samme konstnär är en bild som till innehåll och komposition grundar sig på gammalnederländska förebilder. Samtidigt uttrycker bilden italienska stilideal. Den skulpturala gestaltningen av Gudsmodern och barnet påminner om Michelangelos konst. Symboliken i målningen är mycket tydlig. Äpplet är här en symbol för frälsningen och vinstocken är Maria/modern. På hennes stam

Jan Sanders van Hemessen

Maria med barnet i ett landskap

Olja på trä
145 × 101
NM 2140

växer druvklasen/Jesusbarnet. En landskapsutsikt till höger är
nästan identiskt med den föregående målningens.

En Antwerpen-mästare som i ännu högre grad än Hemes-
sen grundar sig på italienska förebilder är Frans Floris d ä.
Havsgudarnas högtid från 1561 går motiviskt tillbaka på
Rafaels fresker i Villa Farnesina i Rom. I Rom liksom i
Antwerpen lät konstnärerna och deras uppdragsgivare sig

inspireras av antika texter. Det finns gott om legender där gudarna samlas till fest. Catullus' poem om Thetis och Pelis' bröllop är ett populärt exempel. En annan inspirationskälla var Ovidius' metamorfoser (bok VIII, kap V), där det omtalas hur Theseus och hans följe på återväg till Aten efter den kaledoniska vildsvinsjakten hindras av floden Acheloos som svämmat över. Flodguden tar emot dem med stor gästfrihet och ställer till med bankett, där nymfer serverar mat och dryck. Målningen i Nationalmuseum liksom *Gudarnas gästabud* i Gripsholm är varianter på detta tema.

Pomona också av Floris kan vara en del i en serie årstidsallegorier. Denna bild som visar en nymf, omgiven av en mängd mogna frukter, i samspråk med en faun, skulle i så fall vara Hösten.

Maerten de Vos har beskrivits som Flori's förnämste elev och efterföljare. Han vistades en tid i Venedig, där han blev vän och medarbetare till Tintoretto, ett faktum som avspeglar sig i hans konst. Hans mest kända verk i svensk ägo, *Yttersta domen* i Norrsunda kyrka, vittnar dessutom om att han studerat Michelangelos Yttersta dom i Sixtinska kapellet. Många

165

Frans Floris

Havsgudarnas högtid

Olja på trä
126 × 226
NM 430

166

Frans Floris

Gudarnas gästabud

Olja på trä
133 × 184
Grh 2922

167

Frans Floris

Pomona

Olja på duk
115 × 134
Hallwylska museet

168

Maerten de Vos

Yttersta domen

Olja på trä
145 × 202
Norrsunda kyrka

enskilda detaljer som Kristusgestalten och de basunblåsande
änglarna går tillbaka på Michelangelos komposition. Några
smått fantastiska inslag som de ludna djävulsliknande figu-
rerna bland de fördömda är dock inspirerade av en äldre
nederländsk tradition från Hieronymus Bosch.

Maerten de Vos hade en förkärlek för gammaltestamentliga
ämnen. Flera sådana kompositioner var med bland konstskat-
terna från Prag. Dit hör *Hagar och Ismael* i Västerås konst-
museum. Motivet är hämtat ur Första Moseboken (21:9–19).
Bilden skall läsas från höger till vänster såsom hebreisk text.
Längst till höger syns Sara med de lekande gossarna Ismael
och Isak. Sara har bett Abraham driva ut tjänstekvinnan och
hennes son. Han ger henne bröd och en lägel med vatten. Till
vänster har Hagar lämnat sonen under en buske och syns
sträcka händerna mot himlen i bön om hjälp. En ängel visar
vägen till räddningen och den vattenrika brunnen. Målningen
visar en blandning av italienska och nederländska drag.
Gårdsarkitekturen till höger är av italiensk karaktär, medan
landskapet till vänster är typiskt flamländskt.

Liknelsen om vingårdsmännen har tidigare tillskrivits Flo-
ris men är utan tvivel ett verk av Maerten de Vos. Komposi-
tionen har den livliga rytm som är utmärkande för den yngre
mästaren. Motivet grundar sig på Matteus-evangeliet

169

Maerten de Vos

Hagar och Ismael

Olja på trä
96 × 189
Västerås konstmuseum

170

Maerten de Vos

Liknelsen om vingårdsmännen

Olja på trä
126 × 226
NM 430

(20:1–16). Huvudmotivet – fördelningen av lönerna – har som ofta är fallet i den manieristiska konsten förlagts till bakgrunden, medan förgrunden domineras av en folkmassa och en mängd realistiska detaljer från samtida nederländskt stadsliv. Enskilda gestalter är inspirerade av figurer i Tintorettos måleri.

Ytterligare två målningar i svensk ägo har tillskrivits den produktive Maerten de Vos. Det är *Judah och Tamar* (Första Mosebok 38:16) och det apokryfiska motivet *Susanna och gubbarna* på Torpa säteri. I Praginventariet upptecknas de som verk av Maerten de Vos, men stilistiskt har de en annan karaktär. Möjligen är de utförda av en efterföljare.

Under 1500-talets sista årtionde uppstår i Haarlem en speciell Italieninspirerad konst. Dess främste företrädare Cornelisz Cornelis – även kallad Cornelis van Haarlem – bildade där efter en längre tids vistelse i Frankrike en akademi tillsammans med kollegerna Hendrick Goltzius och Karel van Man-

171

Maerten de Vos, hans art

Juda och Tamar

Olja på trä
103 × 157
Privat ägo

172

Maerten de Vos, hans art

Susanna och gubbarna

Olja på trä
103 × 157
Privat ägo

der. En förmedlare av den italienska konsten och en stor inspiratör för dem var Bartholomeus Spranger. De tog upp hans våldsamma kompositioner och stora muskulösa gestalter. De övade sig också i att teckna anatomi efter gravyrer, gipsfigurer och ledade dockor.

Venus och Amor av Cornelis van Haarlem i Linköpings museum är en komposition där Venusgestalten har en androgyn karaktär. Sannolikt är den utförd efter en studieteckning av en manlig modell. Gestalten som är sedd bakifrån med höjd vänsterarm, återkommer, oavsett kön, i ett flertal målningar av konstnären. Cornelis van Haarlems *Venus och Vulkanus*, ett av konstnärens tidigaste signerade verk, är en mycket typisk komposition. De stora gudagestalterna i förgrunden omramar en småfigurig mittscen. I detta fall är det Vulkanus' smedja som återges, där en livlig verksamhet pågår vid elden och städen. Vapen och andra föremål producerade av smideskonstens gud har samlats till ett stilleben i bildens nedre hörn. Venus pekar på ett av Vulkanus' främsta verk, Pallas Athenas sköld med Medusa-huvudet.

173

Cornelisz Cornelis kallad Cornelis van Haarlem

Venus och Amor

Olja på trä 35 × 24

Linköpings museum

174

174

Cornelisz Cornelis kallad Cornelis van Haarlem

Venus och Vulkanus

Olja på duk   182 × 210

NM 6721

175

Cornelisz Cornelis kallad Cornelis van Haarlem

Venus och Adonis

Olja på trä 39 × 54

NM 384

177

176

Cornelisz Cornelis
kallad Cornelis van Haarlem

Tidens spegel

Olja på koppar
29 × 38
NM 1433

177

Cornelisz Cornelis
kallad Cornelis van Haarlem

Före syndafloden

Olja på trä
100 × 173
NM 1045

Efter 1600 övergav Cornelis de storfiguriga kompositio-
nerna och målade i en ljusare färgskala och i en mer klassisk
och harmonisk stil. I Nationalmuseum finns flera sådana sena
verk. *Venus och Adonis* är daterad 1603 och *Tidens spegel* år
1628. Den sistnämnda målningen är en allegori över livets
korthet. Människogruppen inbegriper barndomen, ungdo-
men och medelåldern. I Tidens spegel reflekteras ålderdomens
ansikte, samtidigt som döden tittar fram till höger i bilden.

Haarlem-manieristernas motivkrets var huvudsakligen
mytologisk. Nederländska översättningar av Ovidius, Virgi-
lius och Homeros hade börjat komma omkring 1590. Karel
van Mander, som är mera känd som konsthistoriker och
teoretiker än som målare, har i sin berömda *Schilderboek**
resonerat kring tänkbara tolkningar av de mytologiska
ämnena. De kunde uppfattas rent historiskt och naturveten-
skapligt och då med anknytning till elementen, stjärnbilderna
eller människans olika tidsåldrar etc. En tredje tolkningsmöj-
lighet var moralisk. Ofta handlade det om att varna för jor-
diska fröjder och påminna om livet efter detta.

Före Syndafloden som visserligen har en biblisk inspira-
tionskälla kunde av samtidspubliken uppfattas just som en
maning till beredskap inför Den Yttersta Domen. I Matteus-
evangeliet (24:37–39) förutsäger Kristus Jerusalems förstörel-
se; "Håll er vakna", manar han, "ty som det var i Noas dagar,
så blir det vid Människosonens ankomst. Under tiden före
floden åt man och drack, gifte sig och blev bortgift, ända till

* Van Manders Schilderboek som
kom ut 1604 är en viktig källa till
den nederländska 1500-talskons-
ten. Den kom till som en motsva-
righet till Vasaris biografer över de
italienska renässanskonstnärerna.

178
Cornelisz Cornelis
kallad Cornelis van Haarlem
Modellstudie
Olja på trä 84 × 64
Grh 2922

179
Cornelisz Cornelis
kallad Cornelis van Haarlem
Apollo
Olja på trä 66,5 × 50
Stockholms universitet

den dag då Noa gick ut i arken och ingen visste något förrän
floden kom och förde bort alla." I bildens förgrund syns en
stor skara människor i lustfylld samvaro, men i bakgrunden
skymtar arken.

En oidentifierad *Modellfigur* av en anonym mästare i
Gripsholmssamlingen skulle kunna vara utförd av Cornelis
van Haarlem. Konstverket har tidigare ansetts vara av en
svensk konstnär och framställa skalden Lasse Lucidor. Sättet
att måla påminner något om Cornelis'. Man kan jämföra med
en signerad *Apollo* i Stockholms universitets konstsamling
samt *Porträtt av en man* i Nationalmuseum.

Relativt få målningar av Karel van Mander är kända. En
kabinettsbild föreställande *Johannes Döparen predikar i
öknen* i Stockholms Universitets samling är attribuerad till
honom. Tekniken är camaîeu – en blandning av karmosinlila
och vitt. Utförandet ger associationer till teckningskonst och
grafik som var konstnärens huvudområde.

Den tredje konstnären i Haarlem-gruppen, Hendrick Golt-
zius, blev framför allt känd som kopparstickare och förläggare
men var också målare och tecknare. Nationalmuseum äger
några teckningar av hans hand. Ett självporträtt från 1591–92
har en mycket levande och omedelbar karaktär. De samtida
målade porträtten tillåter oss aldrig att komma en renässans-
människa så nära in på livet. Här förefaller det som tiden stått
stilla.   GÖREL CAVALLI-BJÖRKMAN

180
Cornelisz Cornelis
kallad Cornelis van Haarlem
Porträtt av en man
Olja på trä 53 × 44
NM 1659

181
Karel van Mander
Johannes Döparen predikar
Olja på trä 89 × 112
Stockholms universitet

182
Hendrick Goltzius
Självporträtt, 1591
Laverad pennteckning samt svart
och röd krita, förhöjd med vitt
36,5 × 29,2
NMH 1867/1863

Landskapet

Landskapsmåleriet framträdde som egen genre i början av 1500-talet. Landskapet hade förekommit i måleriet tidigare, men då underordnat religiösa eller andra motiv. Erkännandet av den nya genren skedde tidigare i Italien än i Nederländerna. Renässansteoretikerna kunde falla tillbaka på antika författare som behandlat landskapet.

I praktiken var däremot landskapsmåleriet väl så tidigt utvecklat i Nederländerna, och det var här genren utvecklades till en verklig specialitet. Nederländskt landskapsmåleri blev också tidigt efterfrågat i Italien. År 1535 importerade en konsthandlare över trehundra landskap till Italien.

Karakteristiskt för århundradets landskapskonst är att landskapet inte är upplevt utan konstruerat. Det är inte heller fråga om "rena" landskap, utan de innehåller vanligen religiösa, mytologiska eller andra motiv. Landskap utan figurstaffage förekommer egentligen bara inom den samtida teckningskonsten. Ett exempel är Pieter Bruegels landskapsstudier.

En stor nyskapare och föregångare inom den nederländska landskapskonsten är Joachim Patinir, som var verksam i Antwerpen från 1515 till sin död 1524. Han uppfann det s k världslandskapet med ett vidsträckt panorama över berg, slätter och vatten, skiktat i zoner och med mer eller mindre fantastiska bergsformationer inlagda. Kanske är bergsformationerna ett minne från konstnärens födelseort Dinant, där floden Meuse kantas av taggiga klippor. *Landskap med Johannes predikande och Kristi dop* är ett tidigt exempel på denna landskapstyp. Luften blånar mot fjärran i det luftperspektiv som är utmärkande för det nederländska landskapsmåleriet. Figurerna är naturligt insprängda i bilden. De tycks finnas där endast för att motivera ett fördjupat studium av naturen.

185

Joachim Patinir,
hans efterföljd

Landskap med Johannes predikan och Kristi dop

Olja på trä
31,5 × 73
Uppsala universitets konstsamlingar

I *Vilan på flykten till Egypten* erfar man också denna harmoni mellan figur och landskap. Jungfrun med barnet poserar ej framför ett landskap, hon vilar i det.

Konstnärerna kom att specialisera sig på olika typer av landskap. Man ägnade sig åt skogslandskap, bergslandskap eller landskap med bondbyar och genrescener. Populärt blev också vinterbilder och nattstycken med eldsvådor. Motivet med den brinnande staden blev modernt redan på 1400-talet genom Hieronymus Boschs helvetesskildringar.

Under 1500-talet kombineras detta motiv ofta med Trojas brand eller Sodoms undergång. I *Landskap med Lot och hans döttrar* av Herry met de Bles (Herry med hårtofsen) bildar en brinnande natthimmel bakgrund till det bibliska motivet. Till vänster på stranden syns en vålnad, Lots hustru som förvandlats till en saltstod. Lot och hans döttrar räddar sig upp på stranden. Den vilda bergstoppen i mitten har ett titthål, där man kan se två män i en båt som drar not. Runtom fräser vågorna medan vattnet vid sidan ligger spegelblankt. Kanske är det Fiskafänget vi ser, eller någon annan scen ur Nya Testamentet som ställs mot den gammalbibliska. Herry met de Bles, som fortsatt i Joachim Patinirs anda, har ibland förväxlats med en anförvant till denne – Henri Patinir.

Vardagligare landskap har ofta årstids- eller månadsskildringar som motiv. Ett exempel är fyra små årstidsbilder av

Frans Boels. De är målade på pergament och har nästan karaktär av miniatyrer. Boels var styvson till Hans Bol, som hörde till de mest betydande landskapsmålarna vid sidan av Gillis Mostaert och Lucas van Valckenborch.

Mostaert fortsatte i Herry met de Bles' tradition och målade såväl dramatiska nattstycken som vardagliga genrelandskap, vilka ibland påminner om Pieter Bruegels. I Nationalmuseum finns två små landskap som tycks vara fragment av en större komposition. En teckning i Köln visar hela bilden som består av ett skogslandskap med en liten by och grupper av människor inbegripna i vardagliga göromål. Det ena fragmentet visar några män som sågar timmer och det andra den heliga familjen som vilar på flykten till Egypten.

Lucas van Valckenborchs bergslandskap har en mer topografisk karaktär. Bakgrunden till *Ärkehertig Matthias besöker en vingård* är sannolikt staden Linz, dit konstnären följde sin

188

Frans Boels

Fyra årstidsframställningar

Gouache på pergament
Fyra blad vardera 14 × 22
NMB 1, 2, 3, 4.

1. Våren, 2. Sommaren, 3. Hösten, 4. Vintern.
Bilderna anknyter nära till landskap av läraren Hans Bol.

189
191

uppdragsgivare efter ett uppehåll i Bryssel. I förgrunden syns ärkehertigen omgiven av hovfolk. Han plockar vindruvor ur en korg. Omedelbart till höger om honom ser man en svart-klädd man – ett förmodat självporträtt av konstnären.

Mostaerts elev Gillis van Coninxloo blev en centralgestalt inom landskapskonsten i slutet av århundradet. Han utveck-lade framförallt skogslandskapet bl a under intryck av den venetianska landskapskonsten. Hans målningar innehåller ofta små mytologiska scener som i Stockholms universitets målning *Skogslandskap med Midas' dom*. Kung Midas med

189
Gillis Mostaert
Landskap med timmersågare
Olja på trä
21 × 34
NM 1132

Fragment av en större målning. Mo-tivet förekommer nästan identiskt i nedre vänstra hörnet av en teckning i Köln, av okänd konstnär.

190
Gillis Mostaert
Landskap med den Heliga fa-miljen
Olja på trä
21 × 34
NM 1131

Fragment, signerat och daterat 1573. Detta är den tidigaste kända daterade målningen av Mostaert.

191
Lucas van Valckenborch
Ärkehertig Matthias besöker en vingård
Olja på trä
Sign och dat 1597
41,5 × 63,3
Privat ägo

Valckenborch var hovmålare hos är-kehertigen, först i Bryssel, sedan i Linz, innan han 1593 slog sig ned i Frankfurt.

192
Gillis van Coninxloo, tillskriven
Skogslandskap med Midas dom
Olja på trä
53 × 75
Stockholms universitet 305

åsneöronen har just avkunnat sin dom. Pan med sin flöjt har segrat över Apollon med lyran.

I södra Nederländerna fortsattes den gammalnederländska landskapstypen med klippiga bergsformationer och dramatiska ljuseffekter av Joos de Momper som var verksam långt in på 1600-talet. *Alplandskap* i Nationalmuseum är ett bra exempel på hans kulissartade mycket dekorativa stil. Den genomlysta karaktären åstadkom han genom en mycket speciell teknik. Han målade mycket tunt och transparent och lade slutligen med fin pensel små färgfläckar, en teknik som påminner om den som impressionisterna långt senare skulle utveckla.

Två stora målningar med figurscener är sannolikt utförda i samarbete med en annan målare. Momper var uteslutande verksam som landskapsmålare. Den ena målningen *Den grekiska flottans undergång på återfärden från Troja* skildrar ett dramatiskt natursceneri, stofferat med mytiska figurer. I bak-

193

Joos de Momper

Alplandskap

Olja på trä
72 × 122
NM 372

194

Joos de Momper

Bergigt landskap

Olja på trä
45 × 72
Hallwylska museet

Joos de Momper

Landskap med Ikaros fall

Olja på trä
154 × 173
NM 731

grunden syns den brinnande staden och i förgrunden stormar Neptunus fram över de upprörda vågorna. Två andra gudomligheter, Aeolus och Juno samtalar stående på en klipphylla.

Motivet för den andra målningen är myten om Daidalos som blev instängd i sin egenhändigt konstruerade labyrint tillsammans med sonen Ikaros. De räddade sig båda genom att flyga med två par vingar som Daidalos tillverkat och fäst med vax. Sonen som ej följde faderns råd att ej flyga för nära solen, störtade i havet, då de heta solstrålarna smälte vaxet. Temat var mycket populärt under senrenässansen. Framförallt användes det av kyrkan i ett moraliserande syfte. Daidalos som var byggmästare och teknisk ingenjör sågs som en parallell till samtidens oförskräckta naturvetenskapsmän. Naturvetenskapen var för kyrkans män ett hot mot den gudomliga sanningen. Gick man för långt i att utforska världssanningarna kunde man gripas av hybris och likt Ikaros störta i havet.

BÖRJE MAGNUSSON   GÖREL CAVALLI-BJÖRKMAN

196

Joos de Momper

Grekiska flottans skeppsbrott på vägen från Troja

Olja på trä
154 × 173
NM 730

197

Joos de Momper, tillskriven

Kustlandskap

Olja på trä
Privat ägo

198

Okänd konstnär

Syndafloden

Olja på koppar
19 × 27
NM

Teckningarna

Under äldre tider, när enkla reproduktionsmetoder saknades
och även grafiken var ett relativt dyrbart och begränsat
medium, var avritning eller kopiering det främsta sättet att
dokumentera och notera. Också i konstnärernas utbildning
spelade tecknandet en stor roll. Det var då fråga om att
kopiera efter goda förebilder, något som både tjänade som en
övning av handen och som ett sätt att bygga upp en repertoar
av figurer och motiv, som kunde användas i egna komposi-
tioner.

Även mogna konstnärer kopierade på detta sätt och gjorde
inte sällan repliker av sina egna teckningar som ett medel att
mångfaldiga sina kompositioner. Detta gäller kanske i särskild
hög grad just i Nederländerna under 1500-talet. Det ständiga
informationsutbytet genom kopior och repliker, ofta med
åtföljande stilpåverkan, har resulterat i ett svårbemästrat
material för konsthistorien.

I det konstnärliga arbetet förekom givetvis skisser och stu-
dier, som ledde fram till den slutliga kompositionsteckningen.
Denna försågs ofta med ett rutnät, som skulle underlätta
förstoring och överföring av bilden till pannå, duk eller annat
underlag. Det förekom också noggrant och prydligt utförda
teckningar, som var avsedda att uppvisas för beställaren. En
annan typ av detaljerade teckningar var gravyrförlagorna, som
överlämnades till gravören för överföring till plåten. De känns
ofta igen på ristlinjer längs konturerna, vilket är ett spår av att
de kalkerats.

Naturstudier förekom givetvis också, men av allt att döma i
mindre utsträckning. Det är också svårt att avgöra om sådana
teckningar är gjorda inför motivet eller kopior. Denna typ av
teckningar tycks ofta ha gjorts som mönsterblad, och därför
också gärna kopierats.

Exempel på detta är en serie teckningar med påskriften *naer*

*Studie med rutnät – Yttersta domen av
Lambert Sustris (Kat nr 298)*

Roelandt Savery: Bergslandskap. Svart-krita och akvarell. (Kat nr 314)

het leven (efter levande modell) som tidigare ansågs vara utförda av Pieter Bruegel, men numera allmänt tros vara av Roelandt Savery. De har först tecknats med krita, men är i efterhand överarbetade med penna. (Se kat nr 307–313)

Krita och blyerts användes framför allt för naturstudier och porträtt, medan pennteckning kompletterad med lavering föredrogs för avslutade teckningar. De senare tillmättes ett mycket större värde, något som också avspeglar sig i det större antal som bevarats till eftervärlden. De blev tidigt föremål för samlande. Framför allt åtnjöt pennteckningen (med bläck eller bister) stor prestige. Det grundade sig bl a på det faktum, att det inte gick att sudda och göra ändringar, och därför krävde större skicklighet. Särskilt mot slutet av århundradet odlades virtuositeten, som ju också stod i samklang med de manieristiska idealen. I det sammanhanget kan även Hendrik Goltzius' imitationer av äldre mästares manér (Dürer, Lucas van Leyden m fl) placeras. (Se kat nr 252)

Teckningarna har här grupperats dels efter motiv, dels efter skolor, på ett sätt som ansluter till utställningen i övrigt. Att större delen av dem visas i en särskild sal beror på att de behöver speciella ljusförhållanden för att inte skadas.

BÖRJE MAGNUSSON

■ GENRE

200
Efter Pieter Bruegel
Fem bönder på en marknad

Pennteckning 18,7 × 27,4
NMH Anck 75

Kopia efter en teckning i Musée Bonnat i Bayonne. Figurerna erinrar om Pieter Balten. Jfr nr 207

201
Efter Pieter Bruegel(?)
Tre män och ett barn

Pennteckning 19,4 × 27
Konstakad 6:11

202
Efter Pieter Bruegel
Tre pilgrimer

Laverad pennteckning 20,4 × 29,4
NMH 7/1914

Teckningen har påskriften "Bruegel 1566".

203
Joachim Bueckelaer
Fiskförsäljerskor

Laverad pennteckning, förhöjd med vitt 25,2 × 18,8
NMH 406/1973

204
Maerten van Cleve
Köksinteriör

Laverad pennteckning 13,7 × 18,5
NMH 1790/1863

■ LANDSKAP MED GENRE-INSLAG

205
Maerten van Cleve
Åkern bearbetas och besås

Laverad pennteckning 9,2 × 16,8
NMH 1792/1863

Förlaga till gravyr av A Wierix, ingående i en serie av sex gravyrer framställande arbetet på åkern. De kan dateras till 1570-talet.

208

209

206

Maerten van Cleve

Åkern plöjs

Laverad pennteckning
9,5 × 17,2
NMH 1791/1863

Se föregående nr

207

Pieter Baltens

Landskap med jägare

Pennteckning
15,9 × 26
NMH 1905/1863

208

Okänd konstnär

Bygata med grisslakt

Laverad pennteckning, förhöjd med
vitt på blått papper
27,8 × 39,7
NMH 731/1973

En teckning av samma hand, daterad
1540/50, finns i Berlin.

209

Jacob Grimmer,
tillskriven

Landskap med stor gård

Pennteckning och akvarell
20,5 × 30,8
NMH 168/1973

Attributionen bygger på en teckning
i Amsterdam.

210

Okänd konstnär

By

Pennteckning och akvarell
11,5 × 27,5
NMH Z394/1957

Teckningen är besläktad med de s k
"små landskapen", utförda omkr
1560.

211

Jan Scheepers

Lange Vijverberg i Haag

Pennteckning
19 × 34
NMH THC 3237

På byggnaden till höger finns årtalet
1573.

212

Jan Bruegel d ä

Bondby med den helige Martin

Laverad pennteckning
21,2 × 32
NMH THC 3259

213

Jan Bruegel d ä

Båtar utanför en hamnstad

Laverad pennteckning
19,7 × 30,7
NMH THC 3236

214

Jan Bruegel d ä

*Fiskehamnen Willebroeck nära
Booms*

Laverad pennteckning
16,3 × 27,7
NMH 1943/1863

Graverad av Wenzel Hollar.

215

Jacob Savery d ä

*Belägringen av Hoogstraten hävs
1603*

Laverad pennteckning 28,2 × 38,5
NMH 167/1973
Spegelvänd förlaga till gravyr. Iden-
tifierad av Å Beijer.

■ SKOGS- OCH BERG-LANDSKAP

216

Cornelis Massys

Landskap med befäst hamnstad

Pennteckning
21 × 28,2
NMH 388/1971

217

Mästaren till Erreraskissboken

Klippformation

Laverad pennteckning
20,5 × 13,2
NMH 278/1863

Den mycket omdiskuterade Erreraskissboken i Bryssel kan sannolikt placeras i kretsen kring Cornelis Massys med en tillkomsttid omkr 1530/40.

218

"Messer Ulisse Severino da Cingoli"

Klippig terräng med grotta

Laverad pennteckning, förhöjd med vitt
18,8 × 26,7
NMH 1958/1863

Teckningen tillhör en grupp av samma hand som sammanförts under detta namn. Tecknaren är sannolikt nederländare.

219

Efter Jacques de Gheyn

Bergslandskap

Pennteckning
26,4 × 39
NMH Anck 200

220

Kopia efter en teckning i New York, som tillskrivs de Gheyn. Attributionen är dock inte helt säker; även Jan van Stinemolen och Hendrick Goltzius har nämnts.

220

Gillis van Coninxloo

Bergigt landskap

Laverad pennteckning, förhöjd med vitt på gråbrunt papper
20,5 × 31
NMH 2279/1863

221

Roelandt Savery(?) efter Coninxloo

Skogslandskap med borglik byggnad

Laverad pennteckning 22,5 × 30,3
NMH 1903/1863

En mera skissartad teckning av samma motiv, tillskriven Coninxloo, finns i en privat samling. Den här utställda teckningen har tidigare tillskrivits såväl Savery som Jan Bruegel d ä.

222

Coninxloo, efterföljare

Bergslandskap

Laverad pennteckning 20 × 30,5
NMH 2276/1863

223

Coninxloo, efterföljare

Landskap med sumpmark och utsikt över en dal

Laverad pennteckning
22,5 × 31
NMH 1904/1863

224

Jan Bruegel d ä(?) efter Coninxloo(?)

Gammalt gruvbrott med eremitbostad

Laverad pennteckning 24,7 × 37,1
UUB Nederl 12

En målning med detta motiv, utförd av Jan Bruegel 1595, finns i Milano.

225

Joos de Momper

Utsikt över en flack dal

Laverad pennteckning 27,5 × 39,3
NMH 180/1973

226

Jacob Savery,
tillskriven

Landskap med en borg

Pennteckning 18,3 × 24,7
NMH THC 3247

Savery har utfört en serie etsningar
med liknande motiv. En förlageteck-
ning i Berlin har anknytningspunk-
ter till den utställda teckningen.

227

Lucas van Valckenborch,
efterföljare

*Landskap med resande
som färdas i en grund flodfåra*

Pennteckning 19 × 30,7
NMH 331/1973

Spår av kalkering tyder på att teck-
ningen är en gravyrförlaga.

228

Gillis van Valckenborch

Klippigt kustlandskap

Laverad pennteckning 17,7 × 22,6
NMH THC 3249

Signerad och daterad i Rom 1595.

229

Monogram MSH

Flodlandskap

Laverad pennteckning, daterad 1593
19,7 × 23,6
NMH 332/1973

230

Tobias Verhaecht,
tillskriven

Kust med tempelruin

Laverad pennteckning
33,3 × 27,7
NMH 129/1918

231

Mathys Bril,
efter

Stad omgiven av berg

Pennteckning 15,2 × 26,3
NMH Anck 77

Enligt en påskrift på teckningen må-
lad i kyrkan S Silvestro på Quirina-
len i Rom.

232

Paul Bril

Kustlandskap

Pennteckning 19,6 × 29,4
NMH Z 359/1957

233

Paul Bril

*Landskap med väg som stupar
utför*

Laverad pennteckning
20 × 27,2
NMH 405/1973

234

Paul Bril,
efter

Landskap med vildsvinsjakt

Pennteckning 21,4 × 22,8
NMH Anck 78

■ MYT OCH RELIGION

235

Frans Floris

*Skiss till " Musernas återuppväc-
kande"*

Laverad pennteckning 23,7 × 32,3
NMH 1789/1863

236

Frans Floris' krets

Venus och Amor

Laverad pennteckning 23 × 20,5
NMH 1673/1863

237

Bernard de Rijckere

Diana och Acteon

Laverad pennteckning 20,6 × 30,7
NMH 665/1973

238

Crispin van den Broeck

Historisk scen

Laverad pennteckning 16,2 × 25,5
NMH 1665/1836

239

Crispin van den Broeck

Naken man

Laverad pennteckning, förhöjd med
vitt 15,3 × 9,6
NMH 1757/1863

240

Crispin van den Broeck

Manshuvud

Laverad pennteckning 10,8 × 9,3
NMH 1729/1863

241

Crispin van den Broeck

De fyra evangelisterna

Svartkrita och laverad pennteckning,
förhöjd med vitt
24,8 × 38,2
NMH 1778/1863

242

Maerten de Vos

*Heliga familjen omgiven av
helgon*

Laverad pennteckning
24,3 × 19,9
NMH 1659/1875

Förlaga till gravyr av Jan Collaert
1590

243

Maerten de Vos

*Kristus och den samaritanska
kvinnan*

Laverad pennteckning
10,5 × 7,5
NMH 255/1973

Graverad av Adriaen Collaert

244

Maerten de Vos,
hans art

De fyra evangelisterna

Laverad pennteckning   5,2 × 18,1
NMH 158/1973

245

Maerten de vos,
hans art

Barmhärtighetsgärningarna

Laverad pennteckning   14,8 × 14,6
NMH Anck 558

235

247

246

Cornelis van Haarlem,
tillskriven

Laurentius' martyrium

Svartkrita, förhöjd med vitt
28 × 48
NMH 798/1863

247

Cornelis van Haarlem,
tillskriven

Konstnären vid sitt staffli

Laverad pennteckning i rödbrunt,
förhöjd med vitt
9 × 14,8
NMH 1349/1863

248

Karel van Mander

Religiös allegori

Pennteckning
17,1 × 23,7
NMH 674/1973

Gravyrförlaga

249

Karel van Mander

Salomos dom

Pennteckning och brunt bläck
20,9 × 30,3
NMH 160/1976

Förlaga till gravyr av Jaques de
Gheyn

250

Karel van Mander

Fem profeter

Svartkrita och laverad pennteckning
30,3 × 19,7
NMH Anck 54

Studie till hedernas tillbedjan, grave-
rad 1588 av J Matham

251

Karel van Mander,
hans art

Johannes Döparen predikar

Laverad pennteckning, förhöjd med
vitt
36,8 × 53,6
NMH 160/1863

252

Hendrick Goltzius

*Fantasigestalter framför en mur
och en balustrad*

Laverad pennteckning, förhöjd med
vitt
34,5 × 25,4
NMH 1871/1863

253

Hendrick Goltzius

Man med barett

Svartkrita, förhöjd med vitt
41 × 28,8
NMH 1870/1863

254

Hendrick Goltzius

Landskap med vattenfall

Pennteckning i brunt
25,7 × 22
NMH 1866/1863

255

Jacques de Gheyn

Figurstudier, 1602

Pennteckning 11 × 17,3
NMH Anck. 201

256

Egmont-mästaren

Kristus tillfångatagande

Laverad pennteckning 20,4 × 30,9
NMH 253/1973

257

Egmont-mästaren

Johannes Döparen halshugges

Pennteckning 31,2 × 20,6
NMH 285/1973

258

Joos van Winghe

Herdarnas tillbedjan

Laverad pennteckning, förhöjd med
vitt på grönt papper   44 × 31
Göteborgs konstmuseum 21/1915

259

Jeremias van Winghe
efter Joos van Winghe

Bacchus, Amor och Musiken

Laverad pennteckning 42,3 × 29,3
NMH 162/1973

Graverad av J Sadeler

252

260

Johan Wierix

Porträtt av en medelålders man

Pennteckning på pergament, daterad
1587   9 × 5,6
NMH 1886/1863

261

Johan Wierix

Porträtt av en ung man

Pennteckning på pergament, daterad
1595   9,1 × 6,7
NMH 1885/1863

262

Johan Wierix

Venus toilett

Pennteckning på pergament
21,2 × 15
NMH 160/1973

263

Chrispin van de Passe, tillskriven

Kristi gravläggning

Laverad pennteckning, förhöjd med vitt
Oval, 44,5 × 34,5
NMH 648/1973

264

Joachim Wtewael

Herdarnas tillbedjan

Laverad pennteckning
15,8 × 21,3
NMH Anck 1

265

Joachim Wtewael

Flykten till Egypten

Laverad pennteckning
15,6 × 21,4
NMH Anck 2

STUDIER

266

Lambert van Noort

Studier av en elefant

Rödkrita
43,3 × 28,1
NMH Z 384/1957

Enligt påskriften ritades elefanten i Antwerpen den 1 oktober 1563.

267

Marc Gheeraerts, tillskriven

Fågelstudier

Pennteckning
19,5 × 13,1
NMH 393/1863

268

Marc Gheeraerts

Uppåtvänt huvud

Svartkrita
13,5 × 10,2
NMH 1865/1863

NEDERLÄNDARE I ITALIEN – MÅLNINGAR

269

Denys Calvaert

Amor och Psyke

Olja på duk, daterad 1568
75 × 59
Stockholms universitet (303)

270

Aert Mytens

Kristi törnekröning

Olja på duk
310 × 228
NM 755

Detta är möjligen den målning av Mytens som Karel van Mander nämner i sin Schilderboek 1604.

NEDERLÄNDARE I ITALIEN – TECKNINGAR

275

Maerten van Heemskerck, hans art

Peterskyrkan i Rom under byggnad

Laverad pennteckning
20 × 27,5
NMH Anck 637

Teckningen står mycket nära Heemskercks teckningar i en skissbok i Berlin, men visar byggnadsarbetena vid en tidpunkt (o 1538) då Heemskerck lämnat Rom.

276

Tommaso Vincidor, tillskriven

Insamlandet av manna i öknen

Laverad pennteckning, förhöjd med vitt på grönt, preparerat papper
34,7 × 58
UUB St f 22

En serie teckningar av samma hand finns i Paris. Vincidor var italienare, men verksam i Nederländerna.

277

Michiel Coxcie, tillskr.

Ryktbarhetens triumf

Laverad pennteckning
32 × 45,2
NMH 179/1863

En serie likartade teckningar av Coxcie finns i Budapest.

278

Cornelis Bos eller Cornelis Floris

Groteskornament med insprängda figurer

Laverad pennteckning
12,7 × 29,2
NMH Anck 585

Av samma hand finns en teckning i London som tillskrivits dels Floris, dels Bos. De båda var skaparna av den nederländska grotesken.

283

279

Okänd konstnär

Två romerska sarkofagreliefer

Laverad pennteckning 27 × 40,5
NMH THC 3151g

Kopia efter en teckning i Codex Co-
burgensis i Coburg, en samling avrit-
ningar av antiker i Rom som utförts
av en nederländsk konstnär omkr
1550. Denna teckning har tillhört
Philips van Winghe, en antikforska-
re som var samtida med Goltzius.

280

Okänd konstnär

*Teckning av skulptur
föreställande Diana från Efesos*

Laverad pennteckning
29 × 16,7
NMH THC 3152b

Samma hand som föregående
nummer.

281

Cornelis Cort

Disputà

Blyerts, penselteckning och lavering,
förhöjd med vitt på rött, preparerat
papper
48,2 × 33,9
NMH THC 514/1863

Gravyrförlaga daterad 1573. Gravy-
ren utgavs i Rom 1575.

282

Okänd konstnär

*Arons stav frambringar en mygg-
svärm*

Laverad pennteckning
28,2 × 38
NMH 233/1973
Det finns ett tämligen stort antal
teckningar av samma hand i olika
samlingar. En rad konstnärer har fö-
reslagits: Egmontmästaren, Speec-
kaert, Hans von Aachen, Bolten van
Zwolle.

283

Okänd konstnär

Lasarus återuppväcks

Laverad pennteckning
28,8 × 37,2
NMH 258/1973

Samma hand som föregående.

284

Hendrik van den Broeck

*Det tredje konciliet i Konstan-
tinopel*

Laverad pennteckning
21 × 42,5
NMH 2210/1863

Förlaga till målning i Vatikanbiblio-
teket i Rom, 1580-talet.

285

Denys Calvaert

Danae och guldregnet

Röd och vit krita
33,8 × 34,7
NMH 1366/1863

Förlaga till målning i en engelsk sam-
ling.

286

286

Jan van der Straet
(Stradanus)

*Hund, lejon och elefant i kamp
på en arena*

Laverad pennteckning, förhöjd med
vitt
18,2 × 26,4
NMH 96/1878

Denna och följande jaktscener är
förlagor till några av gravyrerna i en
serie om 118 gravyrer utgiven av
Ph Galle med titeln "Venationes fe-
rarum, aviarum, piocium, pugnae
bestiarum et mutuae bestiarum".

287

Jan van der Straet

Hjortjakt

Laverad pennteckning, förhöjd med
vitt
18,6 × 26,7
NMH Anck 443

288

Jan van der Straet

Lejonjakt

Laverad pennteckning, förhöjd med
vitt
18,2 × 26
NMH Z386/1957

289

Jan van der Straet

*Kaniner och fåglar snärjes med
nät*

Laverad pennteckning, förhöjd med
vitt
18,7 × 27
NMH 97/1878

290

Jan van der Straet

Kaninjakt

Laverad pennteckning, förhöjd med
vitt
18,5 × 26,5
NMH 98/1878

296

293

Jan van der Straet

*Pirater drivs i havet vid Piombi-
no 1555*

Laverad pennteckning, förhöjd med
vitt
38 × 17,7
NMH Anck 444

Troligen förlaga till en vävd tapet,
omkr 1569

294

Jan van der Straet

Erövringen av Port'Ercole 1556?

Laverad pennteckning, förhöjd med
vitt blått papper
37,1 × 18,8
Konstakad 7:24

Jämför föregående nummer.

295

Jan van der Straet

Utfall från en belägrad stad

Laverad pennteckning, förhöjd med
vitt på blått papper
24,4 × 51,4
NMH Z396/1957

296

Lodewijk Toeput

*Kvinna och två putti ridande på
en delfin*

Laverad pennteckning
19,1 × 14,6
NMH 1347/1863

297

Lodewijk Toeput

Trojas brand

Laverad pennteckning
14 × 20
NMH 2265/1863

291

Jan van der Straet

Väderkvarnar

Laverad pennteckning, förhöjd med
vitt
(Mått?)
Konstakad 7:23

Denna och följande teckning är för-
lagor till två gravyrer i sviten "Nova
reperta", omfattande 20 blad, utgi-
ven av Ph Galle.

292

Jan van der Straet

Kanongjuteri

Laverad pennteckning, förhöjd med
vitt
Konstakad 7:22

Se föregående nummer.

■ NEDERLÄNDARE I BÖHMEN OCH SYD-TYSKLAND

298

Lambert Sustris

Yttersta domen

Laverad pennteckning
29,3 × 19,7
KA 7:25

300

Friedrich Sustris

Nattvarden

Laverad pennteckning, förhöjd med
vitt
17,5 × 23,9
NMH 1504/1863

301

Friedrich Sustris

Kors med ärkeänglarna och Kristusbarnet

Laverad pennteckning
Korsformad, 23,1 × 18,5
NMH 300/1973

303

305

302

Friedrich Sustris

Studier för en korsfästelse

Pennteckning
Oregelbunden, ca 20,5 × 10
NMH 1505/1863

303

Friedrich Sustris

Två knäböjande gestalter med kandelabrar

Laverad pennteckning
16,1 × 21,3
NMH 76/1918

304

Friedrich Sustris (Kopia?)

Treenigheten tillbedd av änglar och gestalter ur Gamla Testamentet

Laverad pennteckning
50 × 33
NMH CC VI:2

Kopia efter en teckning i Budapest.
Den är detaljfattigare än förlagan,
men så lik denna i stilen, att det skul-
le kunna röra sig om en replik som
konstnären själv gjort.

305

Pieter de Witt (Candid)

Studier av huvuden och fötter

Svartkrita, pennteckning och täckvitt
20,5 × 15,5
NMH 496/1863

110

306

Pieter de Witt

*Lissabon erövras av franska trup-
per under Robert av Normandie*

Laverad pennteckning
23,9 × 42,3
NMH 353/1973

En teckning i samma manér finns i
Wien.

307

Roelandt Savery,
tillskriven

Tre bönder

Pennteckning över svartkrita
17 × 19,7
NMH Anck 7

Denna serie av figurstudier har alla
färgangivelser samt påskriften "naer
het leeven" (efter levande modell).

310

Roelandt Savery,
tillskriven

Sittande bondkvinna

Pennteckning på svartkrita
15,4 × 9,8
UUB Nederl 13

311

Roelandt Savery,
tillskriven

Stående man och pojke

Pennteckning över svartkrita
15,9 × 10,5
Lund XXXIX:3

312

Roelandt Savery

Gestikulerande kvinna

Pennteckning över svartkrita
16 × 10,1
Lund XXXIX:4

313

Roelandt Savery,
tillskriven

Man sittande på en timmerstock

Pennteckning över svartkrita
16,3 × 11,2
Lund XXXIX:5

314

Roelandt Savery

Bergslandskap

Svartkrita och akvarell
18,9 × 26,5
NMH 2246/1863

Graverad av Aegidius Sadeler. Se
grafiken nr 109! Färgbild sid 96

308

Roelandt Savery,
tillskriven

Bondkvinna med korg

Pennteckning över svartkrita
16 × 10,2
NMH Anck 8

309

Roelandt Savery,
tillskriven

Bergsman med hacka

Pennteckning över svartkrita
15,6 × 11,6
NMH Anck 9

312

318

315

Roelandt Savery

Vy från utkanten av Prag

Pennteckning och akvarell
8,2 × 11,9
NMH CC VI:160

316

Roelandt Savery

Brunn

Pennteckning och akvarell
7,9 × 12
NHM CC VI:161.

317

Paulus van Vianen

Bondgård

Pennteckning och akvarell
10,6 × 19
NMH CC VI:141

Samma gård sedd från ett annat håll
finns på en teckning i en holländsk
samling.

318

Joris Hoefnagel,
tillskriven

Jaktfalk bakifrån

Gouache på pergament
66,5 × 49,4
NMH THC 5465

Flera av dessa falkar har Albrecht V
av Wittelsbachs vapen och skulle,
om attributionen är riktig, kunna
vara utförda av Hoefnagel 1578–79.
Konstnären var då i München, och
hertigen dog det sistnämnda året.
Färgbild sid 113!

319

Joris Hoefnagel,
tillskriven

Jaktfalk framifrån

Gouache på pergament
67 × 49,7
NMH THC 5471

320

Joris Hoefnagel,
tillskriven

Ung pilgrimsfalk bakifrån

Gouache på pergament
62 × 46,6
NMH THC 5464

321

Joris Hoefnagel,
tillskriven

Ung pilgrimsfalk framifrån

Gouache på pergament
61,8 × 41,8
NMH THC 5470

322

Joris Hoefnagel,
tillskriven

Ung jaktfalk bakifrån

Gouache på pergament
56,7 × 42,7
NMH THC 5468

323

Joris Hoefnagel,
tillskriven

Ung jaktfalk framifrån

Gouache på pergament
61,2 × 46,5
NMH THC 5466

313

324

Joris Hoefnagel,
tillskriven

Ung pilgrimsfalk

Gouache på pergament
59,5 × 45,4
NMH THC 5469

325

Joris Hoefnagel,
tillskriven

Gammal pilgrimsfalk

Gouache på pergament
61,5 × 46,3
NMH THC 5467

■ VÄVD TAPET

326

Brysselverkstad, ca 1540

Diana från Ephesus

Vävd tapet
350 × 280
NM 82/1961

Litteratur i urval

Allmänt

Christina, Drottning av Sverige. Utställningskatalog. Nationalmu-
seum, Stockholm 1966

N Dacos, Les peintres belges à Rome au XVIe siècle, Bryssel och
Rom 1964

Max Friedländer, Early Netherlandish Painting vol. 1–13. Leiden,
Bryssel 1967–75.

Olof Granberg, Kejsar Rudolf II:s konstkammare och dess svenska
öden och om uppkomsten av drottning Kristinas tafvelgalleri i
Rom och dess skingrande. Stockholm 1902

Olof Granberg, Svenska konstsamlingarnas historia från Gustav
Vasas tid till våra dagar 1–3. Stockholm 1929–31

R H Wilenski, Flemish painters 1430–1830. London 1960

Från Florens till Prag

Lars-Olof Larsson, Adrian de Vries. Wien och München 1967

Lars-Olof Larsson, Bemerkungen zur Bildhauerkunst am Däni-
schen Hofer im 16. und 17. Jahrh. Münchener Jahrbuch, Band 27,
1975

Giambologna 1529–1608, sculptor to the Medici. Utställnings-
katalog, London, Edinburgh och Wien 1978

Grafik

Wien, Albertina, Zwischen Renässance und Barock. Die Kunst der
Graphik, IV, 1968 (Utst.kat. av K Oberhuber)

T A Riggs, Hieronymus Cock. Printmaker and publisher, New
York och London 1977

L Lebeer, Catalogue raisonné des estampes de Bruegel l'ancien,
Bryssel 1969

M Mauquoy-Hendrickx, Les estampes des Wierix, Bryssel 1978
(3 vol.)

Vardag och marknad

Ingvar Bergström, Lucas van Valckenborch in collaboration with
Georg Flegel, Tableau, vol 5, Nr 4, 1983, s 322–329

Kenneth M Craig, Peter Aertsen and The Meat Stall. Oud Holland
1982/1

Ardis Grosjean, Towards an interpretation of Pieter Aertsens Pro-
fane Iconography. Konsthistorisk Tidskrift 43, 1974, s 121–143

Sten Karling, The Attack by Pieter Bruegel the Elder in the Collec-
tion of Stockholm University. Konsthistorisk Tidskrift XLV,
Stockholm 1976, s 1–18

Keith P F Moxey, Pieter Aertsen, Joachim Bueckelaer and the Rize
of Secular Painting in the Context of the Reformation. London &
New York 1977

Georges Marlier, Pierre Bruegel Le Jeune, 1969

Porträtt

Bengt Cnattingius, Maerten van Heemskerck's St Lawrence Altar-
Piece in Linköpings Cathedral, Studies in its Manneristic Style.
Antikvariskt arkiv 52, Stockholm 1973

Karin Henriksson, Porträtt av en man. Opublicerad seminarieupp-
gift, Stockholms Universitet och Nationalmuseum 1984

Samhällskritik, religion och myt

Andree de Bosque, Quentin Metsys. Brussels, 1975

Görel Cavalli-Björkman, Three Netherlandish paintings in the
Österby Collection. Nationalmuseum Bulletin, vol 5, no 3, 1981,
s 123–125

Larry Silver, The Ill-matched pair by Quinten Massys, Studies in
the History of Art 6. Washington National Gallery, 1974

K E Steneberg, Venus Cythere. Konstrevy 1956, s 24–27

Burr Wallen, Jan van Hemessen, An Antwerp Painter between
Reform and Counter-Reform. Michigan 1983

Armin Zweite, Marten de Vos als Maler. Berlin 1980

Maj Serner, Jan van Hemessen, Isak välsignar Jakob. Opublicerad
seminarieuppgift, Stockholms Universitet och Nationalmuseum
1984

Aron Neumann, Maerten de Vos, Hagar och Ismael. Opublicerad
seminarieuppgift, Stockholms Universitet och Nationalmuseum
1984

Rune Didon, Cornelis van Haarlem. Opublicerad seminarieuppgift,
Stockholms Universitet och Nationalmuseum 1984

Landskap

J A Graf Raczyński, Die flämische Landschaft vor Rubens, Frankfurt 1937

G J Hoogewerff, Het landschap van Bosch tot Rubens, Antwerpen 1954

H G Franz, Niederländische Landschaftsmalerei im Zeitalter der Manierismus, Graz 1969

H G Franz, Meister der spätmanieristischen Landschaftsmalerei in den Niederlanden, Jahrb. d. kunsthist. Inst. d. Univ. Graz, 3/4 (1968–69)

H G Franz, Niederländische Landschaftsmalerei im Künstlerkreis Rudolf II, Umeni, 18:3 (1970)

Teckningar

Berlin, Kupferstichkabinett, Pieter Bruegel, d ä als Zeichner. Herkunft und Nachfolge, 1975 (Utst.kat)

Stuttgart, Graphische Sammlung, Zeichnung in Deutschland. Deutsche Zeichner 1540–1640, 1979–80 (Utst.kat. av H. Geissler)

Princeton, Art Museum, Drawings from the Holy Roman Empire 1540–1680, 1982 (Utst.kat av Th DaCosta Kauffman)

E K J Reznicek, Hendrick Goltzius. Zeichnungen, Utrecht 1961

Åke Beijer, Jacob Savery. Opublicerad seminarieuppgift, Stockholms Universitet och Nationalmuseum 1984

Konstnärsregister

Siffrorna hänvisar till kat.nr.
Nummer inom parentes avser: Efter, kopia efter, efterföljare till... etc.

Aachen, Hans van   (1552–1616)
(118)

Aertsen, Pieter   (1507–1575)
125–129

Andreani, Andrea   (1560–1623)
2

Aspruck, Frans   (f. 1575)
(31)

Agresti, Livio   (d. 1580)
(98)

Baltens, Pieter   (1525–1598)
207

Boels, Frans   (d. 1594)
188

Bol, Hans   (1534–1593)
(75), 76–77

Bologna, Giovanni   (1529–1608)
(2), 3, 6–8, (9–12)

Borcht, Pieter van der
(1545–1608)
71

Bos, Cornelis   (1506/10–1564)
278

Bosch, Hieronymus
(o. 1450–1516)
(51–53)

Bril, Mathys d y   (o. 1550–1584)
231

Bril, Paul   (1554–1626)
232–233, (234)

Broeck, Crispin van den
(1524–o. 1590)
238–241

Broeck, Hendrik van den
(1523–1601)
284

Bruegel, Jan d ä   (1568–1625)
212–214, 224

Bruegel, Pieter d y   (1564–1637/38)
140–144

Bruegel, Pieter d ä   (1528–1569)
(54–68), (78–88), 137, (200–202)

Bueckelaer, Joachim
(1530–1573)
130–136, 203

Calvaert, Denys   (1540–1619)
269, 285

Cleve, Hendrick van
(1525–1589)
138

Cleve, Maerten van   (1527–1581)
139, 204–206

Cock, Hieronymus   (1507–1570)
72–73, 78, (91–92)

Cock, Matthys   (1509–1548)
(72–73)

Collaert, Hans   (1566–1628)
75, 95

Coninxloo, Gillis van
(1544–1607)
192, 220, (221–222), (224)

Coornhert, Dirck Volkhertsz
(o. 1520–1590)
89

Cornelis, Cornelisz   (1562–1638)
kallad Cornelis van Haarlem
(111–114), 173–180, 246–247

Cort, Cornelis   (1533–1578)
97–100, 281

Coxcie, Michiel   (1499–1592)
277

Duetecum, Jan (eller Lucas) van
(o. 1530–1606)
51–52, 68, 79–92

Egmont-mästaren
256

Flegel, Georg   (1563–1638)
145–147